7 PRINCÍPIOS DO LÍDER REVOLUCIONÁRIO

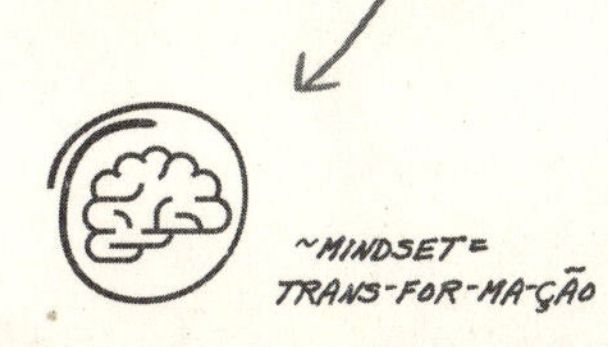

HUGH BLANE

São Paulo
2018

Diretor editorial: **Luis Matos**
Editora-chefe: **Marcia Batista**
Assistentes editoriais: **Letícia Nakamura e Raquel F. Abranches**
Tradução: **Luís Protássio**
Preparação: **Cely Couto**
Revisão: **Alline Salles e Ricardo Franzin**
Arte: **Aline Maria e Valdinei Gomes**
Projeto gráfico: **Valdinei Gomes**
Capa: **Marina de Campos**

Dados Internacionais de Catalogação na Publicação (CIP)
Angélica Ilacqua CRB-8/7057

B575s

Blane, Hugh
7 princípios do líder revolucionário/Hugh Blane;
tradução de Luís Protássio. – São Paulo: Universo dos Livros, 2018.
224 p.

ISBN: 978-85-503-0305-5
Título original: *7 Principles of Transformational Leadership*
1. Liderança I. Título II. Protássio, Luís

18-0417 CDD 658.4092

Universo dos Livros Editora Ltda.
Rua do Bosque, 1589 – Bloco 2 – Conj. 603/606
CEP 01136-001 – Barra Funda – São Paulo/SP
Telefone/Fax: (11) 3392-3336
www.universodoslivros.com.br
e-mail: editor@universodoslivros.com.br
Siga-nos no Twitter: @univdoslivros

AGRADECIMENTOS

A seção de agradecimentos de um livro não é escrita para o leitor, pois serve para o autor agradecer às pessoas que o ajudaram durante a jornada da escrita. Permita-me agradecer a um grupo de pessoas muito especiais.

Em primeiro lugar, quero agradecer aos meus pais. Ambos foram almas corajosas que escolheram emigrar com dois filhos pequenos da Escócia para o Canadá e, em seguida, Birmingham, Alabama, em 1968. Não fosse pelo desejo que tinham de uma vida melhor, para eles e, principalmente, para os filhos, este livro não estaria em suas mãos agora. Ambos teriam muito orgulho desta conquista, como eu tenho das conquistas deles.

Quero agradecer ao meu mentor e consultor comercial, Alan Weiss. Alan ampliou minha forma de pensar e, com isso, enriqueceu minha vida de maneiras que nunca imaginei possíveis. Obrigado, Alan, por me mostrar como viver com coragem, confiança e generosidade. E, sim, o segundo livro está a caminho.

Não consigo agradecer o suficiente aos clientes que se juntaram a mim para transformar seu potencial humano em resultados rápidos – vocês me deram a oportunidade de levar as ideias de liderança revolu-

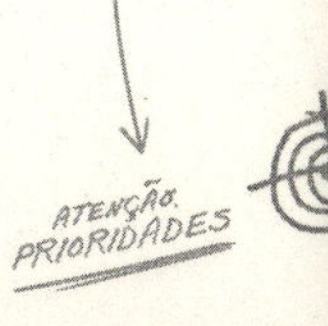

cionária a seus ambientes de trabalho frequentemente sobrecarregados e me permitiram, com isso, fazer a diferença em seus desempenhos, ao mesmo tempo que possibilitaram o florescimento humano. Essa parceria me enriqueceu demais e, por isso, agradeço muito.

Quero agradecer aos colegas de trabalho que moldaram positivamente minhas ideias sobre o livro. Meus agradecimentos sinceros a Roberta Matuson, Linda Popky, Mark Rodgers, Judy Chan e Richard Citrin – cada um de vocês serviu de inspiração para que eu me tornasse escritor e trilhasse um caminho próprio na escrita. Tenho a honra de me tornar um autor publicado como vocês e uma dívida enorme pelo apoio e encorajamento que me deram.

Agradeço a minha irmã, Elise, que vê o meu melhor e sabia antes de mim que eu tinha que escrever um livro. Sua confiança em mim é sem dúvida um presente que valorizo e na qual me apoiei muito ao escrever o livro. Para o padrinho de meu casamento, Robert, sua sabedoria, fé e discernimento me moldaram de maneiras incríveis e suas ideias e perspectivas estão em muitas páginas deste livro – mas não, você não pode ficar com uma parte dos *royalties*. Para o meu meio-irmão, John Felkins. Nós nos tornamos amigos rapidamente e sua amizade e apoio foram um porto seguro quando senti que estava afundando em um mar de responsabilidades de trabalho e negócios. Você é um pai fabuloso e um conselheiro incrível, e tenho sorte de poder chamá-lo de amigo.

Obrigado a Adonis McNeal – você estava do outro lado da linha em muitas das ligações nas quais eu pensava em voz alta sobre cada um dos sete princípios deste livro. Sempre foi gentil e generoso, atento e encorajador. Você também é um meio-irmão – uma pena que eu não tenha seu charme e sua boa aparência.

Por último, mas certamente não menos importante, agradeço ao amor de minha vida, Alyson Sharron. Sem dúvida, diante de cada bom homem existe uma mulher forte, poderosa e cheia de amor conduzindo-o rumo ao futuro. Assim é você para mim. Agradeço seus toques, suas palavras de apoio e a advertência inquestionável de possibilidades maiores. Se não fosse por você, este livro jamais teria acontecido. Obrigado por sua paciência, amor e apoio.

CONSERVAR
TALENTOS

PAIXÃO!

DIREÇÃO

IDEIAS
INOVADORAS

SUMÁRIO

ATENÇÃO:
PRIORIDADES

~MINDSET=

INTRODUÇÃO

O *MINDSET* NÃO SERVE APENAS PARA ATLETAS, ACADÊMICOS E MÍSTICOS EREMITAS

COMPREENDA SEU *MINDSET* E COMPREENDERÁ SEUS RESULTADOS

Não vim a este mundo com um *mindset* programado com a instrução "Posso fazer qualquer coisa". Longe disso. Aos 48 anos, eu me vi insatisfeito emocional, espiritual e financeiramente, embora estivesse casado há trinta anos com o amor da minha vida. Eu estava dando o máximo de mim para ter sucesso, mas sentia que estava com um pé no acelerador e outro no freio; gastava uma grande quantidade de energia todos os dias, mas isso não estava me levando mais rápido a algum lugar. Todos os dias eu me sentia como Sísifo subindo uma montanha só para rolar novamente montanha abaixo e ser repreendido por ter ousado subir. Viver assim era exaustivo.

Olhando em retrospectiva, vejo que meu *mindset* estava enraizado em escassez e pobreza. Fosse o que fosse, o que eu fazia nunca era bom o bastante. Minha resposta favorita às pessoas que me parabenizavam pelas realizações era: "Sim, mas...". Eu as rejeitava sumariamente porque não acreditava que o que eu fazia estava de acordo com os altos padrões que eu mesmo impusera. Minha mente era minha maior inimiga. Como cheguei até aqui?

ATENÇÃO.
PRIORIDADES

Em um dia como outro dia qualquer na vida de um garoto de 6 anos, eu estava brincando em meu quarto quando ouvi minha mãe gritar. Desci correndo as escadas e a vi bloqueando a porta de entrada e três homens em nosso hall. Corri para perto dela, agarrei seu braço e encarei aqueles homens com um misto de medo e confusão. Eles não eram policiais dando notícias ruins sobre meu pai; tampouco eram ladrões que queriam nos assaltar. Eram apenas homens fazendo seu trabalho – trabalho que, naquele dia, consistia em confiscar nossa mobília. E esse trabalho deixou minha mãe em prantos. Desesperada, ela ligou para meu pai "resolver isso!".

Durante a recessão da década de 1960 na Escócia, o confisco de mobília acontecia com outras famílias, não apenas com minha mãe. Christobel Rice Blane casara-se com o herdeiro de uma das famílias mais ricas de Glasgow e a vida foi exatamente como ela esperava até meu avô morrer. Meu avô, David Blane, era um empresário extraordinariamente talentoso que começara os negócios empurrando um grande carrinho de madeira para cima e para baixo pelas ruas de Glasgow, oferecendo pães, frutas, peixes e quaisquer outros produtos que pudesse vender. Seus dias eram longos e de trabalho pesado, mas ele tinha um *mindset* com a instrução "Vou conseguir".

Ao longo de 40 anos, meu avô acumulou uma fortuna. Ele tinha uma concessionária de carros que vendia Jaguar, MG e Rolls Royce, um ferro-velho e uma casa de apostas. Criou os dez filhos em berços de ouro e com a ajuda de duas babás. A casa da família foi construída e nomeada a partir de uma propriedade que meu avô viu em Pádua, na Itália, e tinha não apenas uma, mas duas salas de sinuca. Em determinado momento, as roupas de meu pai eram feitas sob medida e ele dirigia um dos carros mais legais do país. Meu pai era "o cara".

Minha mãe vinha do outro lado. Seu pai era proletário e chegou a trabalhar em uma mina de carvão. A família não tinha dinheiro e, quando minha mãe estava no colégio, usava o mesmo vestido todos os dias, pois era o único que tinha. Ela chegava em casa e o passava para usá-lo de novo no dia seguinte. Christobel sabia que era pobre e o que a mantinha motivada era a esperança de "sair desse fim de mundo" e ter uma vida melhor.

Por um lado, o *mindset* com o qual meu pai fora criado era carregado de prosperidade e privilégios. O *mindset* de minha mãe, por outro lado, era carregado de pobreza e escassez. O que aconteceu no dia em que aqueles três homens chegaram para confiscar nossa mobília inflamou o *mindset* de minha mãe e obliterou o de meu pai. Para minha mãe, as maiores esperanças que ela tinha para sua vida despedaçavam-se a seu redor. Para meu pai, qualquer sensação de amor-próprio e autoestima ficou seca como uma uva-passa.

O que isso tem a ver comigo e com meu *mindset*? Naquele dia fatídico, meu *mindset* de um garoto de 6 anos passou da segurança e da proteção ao medo e à incerteza. Passei a acreditar que quaisquer posses que tivesse poderiam e seriam tomadas de mim. Esse *mindset* permeava minha mente; as imagens que projetei das pessoas, dos lugares e da liderança colocaram-me diretamente no caminho para a vida que me peguei levando aos 48 anos de idade.

Meu objetivo ao contar essa história é dar a você, leitor, o contexto de como o *mindset* e a liderança que você e eu exibimos são resultado tanto da natureza quanto da criação. A única escolha verdadeira que temos é reconhecer nosso *mindset* atual, aceitar nosso papel em sua criação e sustentação, articular o *mindset* que desejamos e, então, agir dia após dia para criá-lo.

Descobri que 80 por cento do sucesso de um líder é um processo mental. Há líderes que acreditam que o trabalho é uma viagem longa, lenta e chata por territórios inimigos – e com balas e flechas voando por sobre suas cabeças! Tal *mindset* produzirá baixas performances em 100 por cento das vezes. Você não atinge níveis ótimos de desempenho caso seu *mindset* não esteja nos mais altos níveis.

Embora a neurociência e a psicologia tenham moldado positivamente meu *mindset*, elas não são os alicerces deste livro. Não sou psicólogo, mas um especialista em liderança que transformou com sucesso não apenas o próprio *mindset*, como também o *mindset* de inúmeros clientes.

Dois são os motivos principais de eu ter escrito este livro. Primeiro, no mundo corporativo, a quantidade de potencial humano inexplorado dentro de uma empresa é estarrecedora. Depois de trabalhar em 43 estados e sete países de três continentes, detectei pessoalmente 65 por cento de funcionários com casos crônicos de SFM: só fazer o mínimo. Seus *mindsets* caracterizam-se por exercer o mínimo de esforço possível para manter um resultado anual positivo. Todavia, antes de concluir que funcionários com SFM são mesquinhos, preguiçosos e egocêntricos, considere o fato de que os líderes de corporações em todo o setor industrial também sofrem de SFM e são os portadores do vírus dessa síndrome. Muitas vezes, a missão, a visão e os valores que guiam empresas, equipes e funcionários individuais são escritas por líderes seniores durante períodos sabáticos em suas casas nas montanhas. São, portanto, desprovidos de quaisquer ligações tangíveis com as pessoas que lidam com os clientes diariamente. Os funcionários sofrem de SFM porque seus líderes não estão dispostos a empreender as mudanças individuais necessárias para transformar suas equipes e empresas.

Segundo, em um nível pessoal, espero capacitar um desenvolvimento mais humano. Acredito na passagem bíblica que diz o seguinte: "De todo aquele a quem muito é dado, muito será exigido". Tenho obrigação de responsabilidade de pegar o que aprendi e passar adiante para que outros possam se beneficiar desse conhecimento. Vamos discutir essa fórmula em detalhes nos capítulos seguintes.

Antes de seguir, há uma avaliação que você talvez queira preencher. Não se trata de perguntas metafísicas ou egocêntricas que exigem que você se sente em posição de meditação por 60 minutos antes de responder. Trata-se de afirmações que, quando consideradas atenciosa e resolutamente, vão ajudá-lo a enxergar a ligação entre seu *mindset* e seus resultados.

A Avaliação da Liderança Revolucionária

Em uma escala de 1 a 10 (sendo 1 discordância total e 10 concordância total), avalie-se quanto às seguintes afirmações:

1. Tenho um objetivo claro para minha liderança e vida pessoal.
2. Defini claramente as prioridades que estão a serviço de meu objetivo, assim como as pessoas mais importantes.
3. Fiz promessas não negociáveis a todas a pessoas que mais importam para mim tanto pessoal quanto profissionalmente.
4. Conheço precisamente e articulei os comportamentos que devo adotar para alcançar meu objetivo, minhas promessas e minhas prioridades.
5. Amplio deliberadamente minha liderança todo ano criando novos projetos que aumentam o valor das pessoas mais importantes para mim.
6. Tenho uma capacidade impressionante de perseverança diante de adversidades e reveses.
7. Deliberadamente ensino e oriento os outros com o objetivo tanto de consolidar meu aprendizado quanto de ajudá-los a crescer e aprender.

8. No que concerne ao meu pensamento, "jogo para ganhar", ao contrário de "para não perder".
9. Cultivei um *mindset* e um falar positivos, inclusive a respeito de mim mesmo.
10. Tenho uma convicção contagiante e persuasiva em ajudar os outros a aumentar sua liderança e melhorar seu *mindset*.
11. Parabenizo-me por coisas que faço bem e descarto ou reduzo as coisas que não faço bem todos os dias, semanas e meses.
12. Reservo um tempo para refletir e pensar criativa e estrategicamente sobre minha vida pessoal e profissional.

Após completar a Avaliação da Liderança Revolucionária, pondere sobre as seguintes questões:

- Quais afirmações receberam as pontuações mais altas e quais receberam as mais baixas?
- Quais são as implicações de essas áreas terem avaliações tão altas e tão baixas?
- Se pudesse melhorar de modo expressivo uma resposta, qual delas teria o maior impacto positivo em sua liderança e em seu resultado?

UM *MINDSET* DE CRESCIMENTO, OTIMISMO E POSITIVIDADE

Eis o que aprendi trabalhando com empresas como Sony Pictures, Boeing, Nordstrom, Starbucks e Microsoft: líderes revolucionários não ficam satisfeitos em serem bons, mas acreditam e buscam um estado melhor descrito como "desenvolvimento". Neste capítulo, começo apresentando um novo *mindset* que repensa o mundo do trabalho e coloca você em posição de progresso revolucionário.

Se deseja um empreendimento frutífero – um negócio que tenha crescimento de primeira linha, mais lucro, níveis mais altos de satisfação do cliente e retenção máxima de talentos –, você precisa ter relações prósperas com seus funcionários. No mundo do trabalho atual, a experiência do cliente precisa ser envolvente, a ponto de os consumidores sequer considerarem comprar em outro lugar. Esse cenário só pode ser criado por funcionários comprometidos e felizes.

Quando os líderes comprometem-se em criar experiências que sejam atraentes, notáveis e centradas na fidelidade, a única maneira de executar e entregar essa estratégia é por meio de funcionários alegres e satisfeitos. Em termos claros, se você quer criar uma experiência atrativa para seus clientes, mas seus funcionários não são desenvolvidos, simplesmente não há como seu empreendimento prosperar. A equação a seguir transformará sua liderança e seus resultados:

$$EP = (FF + CF + EM)$$

Uma empresa próspera (EP) é o resultado de funcionários felizes (FF), clientes felizes (CF) e experiências memoráveis (EM).

Funcionários felizes são o resultado de líderes prósperos comprometidos em cultivar clientes satisfeitos e produzir experiências marcantes. No entanto, há funcionários que nunca deveriam ser colocados em papéis de atendimento ao cliente, mas o são. Alguns desses indivíduos estão tão desconfortáveis e são tão incompetentes ou indiferentes em relação ao cliente que nunca deveriam ocupar posições que demandam interação com os consumidores.

Você tem em sua empresa uma situação semelhante, em que funcionários infelizes estão criando experiências negativas para os clientes? Há situações em que os funcionários veem um cliente como uma interrupção ou algo que deve ser tolerado, e não como um bem valioso a ser cultivado e tratado com respeito? Seus funcionários, em alguma ocasião, consideram aceitável ser rude e indiferente? Se sua resposta for sim, o problema não está no funcionário da linha de frente. A grande questão é: será que os líderes entram toda manhã em seus escritórios com um desejo vivaz de fazer uma diferença significativa na vida de seus funcionários e clientes?

Se você como líder perdeu esse desejo e é incapaz de sentir-se entusiasmado em impactar os integrantes mais importantes de sua vida, chegou a hora de deixar a liderança. É de fato bastante simples. Se você não está prosperando no trabalho, chegou a hora de fazer uma mudança – primeiro em seu *mindset*; depois, em seu papel, se necessário. Seu nível de prosperidade pessoal permeia e formata sua liderança, aparecendo na experiência final do cliente.

NÃO SE TRATA DO QUE OS OUTROS LHE DIZEM – TRATA-SE DO QUE VOCÊ DIZ A SI MESMO

A queixa número um dos leitores de meu blog é que eles se sentem sobrecarregados e não têm o tempo necessário para liderar de forma eficaz. Essa sensação pode ocorrer por inúmeros motivos, alguns dos quais são válidos, ao passo que outros têm suas raízes no *mindset* do líder. Ao longo dos últimos 25 anos, descobri seis fatores que contribuem para a sensação de opressão – todos eles criam um *mindset* que diminui o desempenho e reprime o bem-estar dos clientes e dos funcionários. São eles:

1. **Tolerância à performance insuficiente.** Toda empresa possui funcionários com performance abaixo do esperado e também acima do esperado. Os primeiros estão interessados

no salário e têm pouca ou nenhuma vontade de melhorar o desempenho. Em vez de procurarem um emprego cujas expectativas sejam mais baixas, eles são mantidos em seus cargos mesmo em face da performance insuficiente. Quando há tolerância ao subdesempenho, envia-se a todos os funcionários uma mensagem clara de que isso é aceitável e de que não há consequências. Esse *mindset* atrapalha o crescimento e catalisa ainda mais incompetência.

2. **Problemas de comunicação.** Quando os líderes sentem-se oprimidos e sobrecarregados, correndo continuamente de uma reunião para outra sem nenhuma margem ou espaço, certamente acontecem problemas de comunicação. Com isso, quero dizer que você perderá as nuances sutis da comunicação interpessoal e, ao se apressar entre um compromisso e outro, irá comunicar mal suas expectativas justamente por causa da ansiedade em estar em dois lugares ao mesmo tempo. Isso leva a alarmes falsos e à conhecida necessidade de retrabalho como resultado de mal-entendidos.
3. **Estar exausto, esgotado e rendido.** Nos Estados Unidos, os líderes orgulham-se de se forçarem até o limite. É uma medalha de honra dizer aos familiares e amigos que você trabalha 70 horas por semana. No entanto, as pesquisas mostram que a qualidade do trabalho diminui na proporção em que aumenta o número de horas trabalhadas por semana. Líderes e funcionários energizados, empolgados e entusiasmados em fazer uma diferença positiva na vida de um cliente são mais eficientes. Isso é praticamente impossível quando um líder ou funcionário está lutando para se manter de pé.
4. **Não ter a capacidade de lidar de modo eficaz com estresse.** Há dois tipos de estresse que todos nós enfrentamos

em algum momento: o eustress e o distress. O eustress, ou "estresse do bem", ocorre quando a distância entre o que queremos e o que temos sofre uma leve pressão, mas não de maneiras que nos levem à sensação de opressão ou sobrecarga. Vemos esse estresse como gerenciável e nosso objetivo como alcançável. Já o distress, ou "estresse ruim", é o oposto disso. A distância não é gerenciável e o objetivo é visto como inatingível, o que nos causa a sensação de saturação, perda de controle e ineficácia. Os líderes precisam ter a capacidade de capitalizar o eustress na medida em que reduzem ou eliminam as causas ou os efeitos do distress. Entretanto, a primeira estratégia para lidar com o estresse em empresas hoje em dia é erguer a cabeça e engolir o estresse. Há ocasiões em que essa abordagem é necessária e a maneira preferível de se agir; todavia, é muito frequente que líderes ocupados e sobrecarregados prefiram o trabalho mais pesado ao trabalho mais inteligente.

5. **Má gestão do tempo e da definição de prioridades.** Embora o trabalho diário de um líder exija uma contínua definição de prioridades, isso nem sempre é uma realidade. Ser capaz de dizer não de forma estratégica e respeitosa a chefes e clientes é uma habilidade transformadora fundamental que líderes devem dominar. Quando líderes olham para seus calendários e perguntam-se o percentual de tempo gasto na produção de atividades de baixo valor em relação a prioridades mais estratégicas, que número você esperaria encontrar? Oitenta por cento? Setenta? Cinquenta? Frequentemente, esse número entre os clientes para os quais presto serviços de *coaching* e consultoria é de 30 por cento. Com habilidades superiores em definir suas prioridades, os líderes podem aumentar o uso estratégico de

suas agendas para algo entre 25 e 50 por cento, o que terá um impacto decisivo em sua performance.

6. **Ignorar a importância do *mindset* no desempenho.** Em todo o país, o número de aulas sobre *mindset* e treinamento mental em faculdades de administração é ínfimo. Sim, a psicologia é ensinada em termos gerais e, muitas vezes, teóricos – muito semelhantes aos cursos infalíveis de gestão financeira e marketing e os novos cursos sobre mídias sociais –, mas não de forma suficiente. O que acontece na mente dos líderes e dos funcionários é, em muitos sentidos, o que determina o desempenho financeiro, a participação no mercado e a aquisição e retenção de talentos. Quando falta no arsenal de ferramentas de um líder um fator tão importante quanto o *mindset*, os resultados deixam a desejar.

Ao observar a lista anterior, sem dúvida você poderá adicionar outros fatores que o levam a se sentir sobrecarregado. Todos eles podem ser influenciados por um líder. Funcionários felizes são um fator essencial para que haja também clientes felizes. Uma das tarefas fundamentais de um líder é gerir o *mindset* de seus funcionários de modo que o *mindset* do cliente seja favorável e propenso a fechar mais negócios com a empresa.

A forma como os funcionários falam entre si é determinante. Alguns costumam sentir que a gestão jamais os apoiará, independentemente do quanto suas ideias sejam boas. Se a consciência e a autoafirmação dos funcionários estão enraizadas em linguagens e crenças derrotistas, é impossível mudar seu comportamento até que eles transformem o que dizem a si mesmos.

Por exemplo, Robert era um novo cliente de *coaching* que trabalhava na área de saúde. Como muitos de meus clientes, ele me contou sobre as mais de 70 horas semanais que trabalhava e sobre as demandas em seu tempo. Lamentou sentir-se sobrecarregado e frustrado porque passava o dia apagando incêndios. As coisas tinham ficado tão ruins que seus funcionários chegaram a pedir-lhe para ser menos reativo e ajudá-los a fazer o mesmo. Quando perguntei quem era responsável por sua agenda e como era seu dia, Robert respondeu resoluto: "os hospitais e os pacientes".

Robert estava certo em um ponto: seu trabalho era determinado de inúmeras maneiras pelos flagelos de uma carreira na área de saúde, em que a vida e o bem-estar de uma pessoa são influenciados por aqueles responsáveis pela assistência médica. Essas profissões são rodeadas por circunstâncias urgentes em que "uma decisão precisa ser tomada imediatamente".

Mas Robert também não percebia uma distinção crucial. Embora os fatores externos que influenciavam seu dia fossem reais, sua resposta a eles também era. Robert não controlava o que acontecia a ele todos os dias, mas certamente controlava a forma como responder ao que lhe acontecia. A maneira como Robert respondia estava sem dúvida no espaço útil entre suas orelhas – dentro de sua cabeça. Não era seu chefe, o hospital ou os pacientes – era o *mindset* de Robert que controlava as pessoas, os processos e as perspectivas que ele tinha de enfrentar todos os dias. Transformar seu *mindset* de modo a libertar seu potencial humano é do que, ao fim e ao cabo, trata-se este livro.

A boa notícia é que existem sete princípios que vão ajudá-lo a dominar seu *mindset* de liderança e transformar não apenas seu potencial humano, como também o potencial de sua equipe e de sua empresa, impulsionando seu desempenho. Cada um dos capítulos a seguir corresponde a um desses princípios.

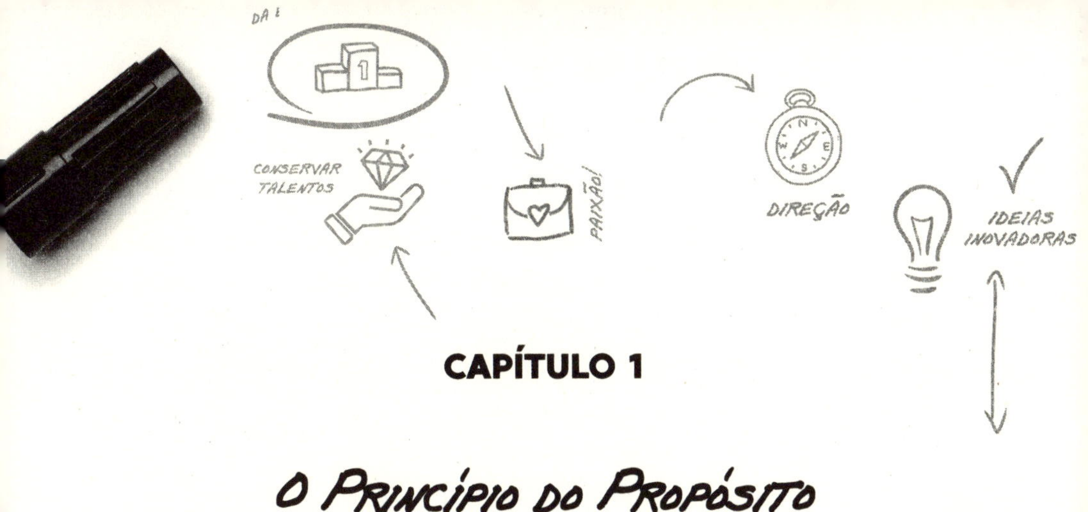

CAPÍTULO 1

O PRINCÍPIO DO PROPÓSITO

AQUELA IDEIA, SONHO, ESPERANÇA OU ASPIRAÇÃO

Pergunte a dez pessoas o que elas fariam se ganhassem na loteria dinheiro suficiente para não trabalhar mais e vai ouvir respostas como "abrir meu próprio negócio" ou "fazer caridade". Ao longo dos últimos 11 anos como consultor financeiro, vi muito esse tipo de boa intenção. Sempre que conhecia um cliente novo ou potencial eu fazia a seguinte pergunta: "O que é importante para você quando falamos de dinheiro?". A resposta mais comum era "segurança". E, em inúmeras ocasiões, ouvi de clientes mulheres que elas não queriam acabar como "uma sem-teto".

O interessante era que as pessoas com as quais eu estava conversando não eram financeiramente vulneráveis. Elas tinham recursos, mas ainda carregavam em si um *mindset* de pobreza. Um executivo da área de saúde que ganhava mais de um milhão de dólares por ano temia não ter dinheiro suficiente para a aposentadoria.

No entanto, ter a segurança como propósito estrangula muitas das ideias, esperanças e sonhos que podemos desejar para nossa vida. Nossos objetivos mais ambiciosos acabam ficando de lado por causa do *mindset* predominante.

Deixemos claro um benefício primordial de esclarecer seu propósito de liderança: o ponto de partida para o crescimento individual e empresarial é um propósito claro e irrefutável. As pessoas que no trabalho ou em suas vidas pessoais alcançaram algo extraordinário ou que vivem a partir da lógica da "recompensa" ou da "inspiração" têm uma ideia concisa e convincente do que é importante para elas, de por que é importante e do valor que alcançarão se trabalharem para tal.

Uma de minhas clientes é CEO de um hospital e define seu propósito da seguinte forma: "Quero criar uma cultura na qual cada um dos funcionários esteja engajado na construção de uma experiência extraordinária de segurança e cuidado ao paciente". Esse propósito se traduz em três princípios que são importantes para ela:

1. Cuidar do paciente e da segurança é fundamental.
2. Cada funcionário deve estar engajado para fazer isso acontecer.
3. Criar uma experiência extraordinária é essencial.

Essa cliente não se contenta com o comum, o ordinário, mas acredita que o extraordinário seja possível e vê seu trabalho focado sobretudo em criar a transformação cultural para atingir seus objetivos. Seu propósito conduz cada um de seus movimentos e permeia seu pensamento mesmo em um mercado de mudanças constantes como o da saúde.

Quando lhe pergunto sobre nosso trabalho juntos, ela responde: "Esclarecer meu propósito não foi uma tarefa fácil, mas tornou a liderança bem mais fácil e recompensadora".

Isso me leva a perguntar a você, leitor: seus propósitos de liderança são claros? Você se sente apaixonado pelo que faz? É persistente no aprendizado e aprimoramento de suas habilidades, de seu *mindset* de líder e na criação de valor para os outros? Ou sente que está dirigindo no meio de um nevoeiro todos os dias?

O que dirigir no meio de um nevoeiro significa da perspectiva da liderança? Imagine que você está de férias, dirigindo rumo à região vinícola de Napa Valley para degustar alguns dos melhores vinhos produzidos nos Estados Unidos. Com a intenção de tornar sua viagem ainda mais memorável, você aluga um conversível potente – vermelho, brilhante e extraordinário. Só de olhar para o carro, seu coração acelera – você mal pode esperar para colocar o pé na estrada.

Conforme você faz uma curva, aproveitando o momento incrível, repentinamente entra em um nevoeiro. Do nada, a névoa encobre o carro. Qual é a primeira coisa a fazer? É provável que você diminua a velocidade. Em seguida, colocará as duas mãos no volante e possivelmente até mesmo aproximará o corpo do para-brisa, esperando enxergar melhor. E, para ajudar ainda mais, desligará o rádio para pensar melhor.

E lá se foi a sensação de tranquilidade e entusiasmo que a viagem lhe trazia. Em vez disso, você experimenta uma sensação de adrenalina tomando conta de todo o seu corpo. Está em modo de sobrevivência e, nesse momento, lutando para resistir.

Depois do que pareceram minutos, mas provavelmente foram entre três e cinco segundos, o nevoeiro se desfaz e você pode novamente ver com clareza quilômetros à frente. A tensão que inundou seu corpo no modo de sobrevivência passou e a sensação de segurança retornou. Lentamente, o entusiasmo que sentia pela viagem também volta e, em poucos minutos, voltam o rádio e o pé no acelerador.

Quando não possuímos um propósito claro e convincente para nossa liderança, para nossas equipes e para nossas empresas, estamos dirigindo em um nevoeiro. Há muita tensão, e o prazer despertado pelo destino evapora tão rapidamente quanto o nevoeiro obscurece nossa visão. Quando possuímos um propósito forte e contundente, por outro lado, tiramos o pé dos freios e pisamos no acelerador. Aceleramos rumo ao nosso destino com entusiasmo e empolgação.

Quando pergunto a executivos e empresários o que realmente querem para si e para suas equipes e empresas, nove entre dez demonstram não ter um propósito claro e bem definido. Isso cria nos funcionários a sensação de que estão dirigindo sem qualquer visibilidade. Seus pés estão nos freios no que concerne a novas ideias e sua capacidade de tornar a vida dos clientes mais fácil e recompensadora foi inibida. Isso é o oposto do que a maioria dos líderes quer e, ainda assim, é o que a maioria está criando.

Todo líder tem sonhos e aspirações para sua vida profissional e para sua vida pessoal. Em todo treinamento de *coaching* e sessão de consultoria que realizo, no momento em que as esperanças e sonhos dos líderes ficam claros, há uma perceptível liberação de tensão e um entusiasmo palpável no ar. É como se o motor estivesse em sua máxima aceleração e o ímpeto de mover-se rumo ao futuro se tornasse o foco primordial.

Se você pegou este livro com o objetivo de aprimorar resultados, desempenho e relacionamento interpessoal, não ficará desapontado. A seção seguinte irá ajudá-lo a definir seu propósito e, com isso, viver uma vida mais enriquecedora e recompensadora.

ENCONTRANDO SEU PROPÓSITO NO TALENTO, NO AMOR E NO VALOR

Sem exceção, o alto desempenho, o engajamento e a satisfação, tanto pessoal quanto profissional, estão mais próximos do que você imagina a partir do momento em que você tem um propósito claramente articulado. Digo "mais próximo do que você imagina" porque os progressos em praticamente todos os tipos de empresa começam com uma palavra: clareza. Ela se refere a expectativas, resultados, valores, competências, prestação de contas e a tudo que faz com que nos sintamos vivos e vibrantes. Sem clareza há pouca ou nenhuma possibilidade de se perseguir o foco. Com clareza surgem novos *insights*, novas estratégias e novos comportamentos que fazem indivíduos e empresas progredirem de maneiras inéditas.

Esta seção é importante por uma razão: sem um propósito claro e convincente, todos os outros princípios de liderança tornam-se constructos teóricos em oposição a diretrizes práticas. Por exemplo, você pode avançar para o segundo princípio de liderança revolucionária, o Princípio da Promessa, mas é inútil tentar estabelecer promessas significativas e convincentes se não sabe qual é o seu propósito. Sem dúvida, esta parte se mostrará a mais valiosa de todo este livro.

Algumas advertências antes de começarmos: dependendo do seu *mindset*, você terá uma de duas possíveis reações ao que lerá. A primeira reação é de frustração. Você já ouviu os conselhos de *coach*es e consultores antes e há anos entende a ligação entre a aceleração do desempenho e aquilo que uma pessoa ama fazer, aquilo em que realmente é boa, e qual valor leva a clientes, equipe e empresa.

Você ouviu a mensagem, mas também foi incapaz de esclarecer o que cada dimensão do propósito de fato significa para você. Nesse caso, esta seção pode ser vista como árdua e frustrante. Em vez de mergulhar na questão com curiosidade e coragem, você passa para a seção seguinte, dizendo a si mesmo que voltará para esta aqui depois.

A segunda resposta possível é de entusiasmo. Você acredita que, independentemente do quanto seu propósito seja claro e convincente, é desejável ter uma nova perspectiva que possivelmente altere a forma como o vivencia. Você dá boas-vindas ao tempo gasto esclarecendo o que é importante para você e valoriza o aumento de sua capacidade de liderar com propósito e paixão.

Independentemente de sua reação inicial, eis a promessa que lhe faço: a partir do momento em que você tiver seu propósito claríssimo, seu nível de engajamento e entusiasmo vai disparar. O nevoeiro vai se dissipar e você verá quilômetros adiante na estrada que você, sua equipe e sua empresa estão trilhando. E vai pisar no acelerador. Esta seção vai ajudá-lo a ter um propósito claro como a água se cultivar duas palavras: curiosidade e coragem.Você precisará de curiosidade para se livrar das velhas camadas que encobrem seu propósito e precisará de coragem para pensar alto sobre sua liderança, muito além do que pensou até aqui.

O COMBUSTÍVEL QUE ALIMENTA O SUCESSO

As três dimensões do propósito são: amor, talento e valor.

O amor é o entusiasmo desmedido que você tem por seu trabalho. Quando o amor está presente, o esforço e a busca por tudo que é necessário aprender para crescer e melhorar são contínuos. Sem amor, seu talento e seu valor deixam não apenas você, mas também os outros, com a sensação de vazio e insatisfação.

O talento é o que você faz de maneiras altamente diferenciadas. O talento tem suas raízes tanto na capacidade e expertise que você leva a seus clientes quanto em suas relações mais caras. O talento, em vários aspectos, é o preço que se paga pela entrada no mundo do trabalho hoje em dia, enquanto sua falta é o grande limitador de carreiras.

O valor é o benefício que clientes e funcionários extraem da interação conosco. O valor pode ser visto como a capacidade de tornar mais simples ou significantemente melhores as vidas das pessoas.

Não se trata de um produto técnico ou serviço, mas, sim, de um benefício que as pessoas recebem por consumir o produto ou usar o serviço que você oferece. Tenha em mente que você pode ser apaixonado pelo que faz e fazê-lo excepcionalmente bem, mas, se seus clientes e funcionários veem nisso pouco ou nenhum valor, seu sucesso está em risco.

Com o objetivo de deixar seu propósito claro, você precisará aprofundar seus conhecimentos de como seus talentos únicos e suas paixões criam valor para você, para seu cliente e para sua empresa. Nas seções seguintes, analisaremos o processo que uso com meus clientes para que eles elucidem seus propósitos.

Amor

O amor está no cerne da excelência. Mediante seu amor por algo, você é motivado a superar desafios e alcançar seus maiores sonhos e aspirações. Quando você é impelido pelo que faz, o trabalho deixa de ser apenas uma palavra. Assim, o amor é o componente-chave da realização pessoal e pode ser encontrado a partir das respostas às seguintes perguntas:

1. Qual parte de meu trabalho amo fazer? Por quê?
2. Qual parte de meu trabalho acho mais recompensadora?
3. Qual ideia, expectativa, sonho ou aspiração concernente a meu trabalho tomou conta de mim?
4. Qual aspecto de meu trabalho, caso eu não pudesse mais fazê-lo, o tornaria menos pleno?

Para que você sinta o peso do que digo, o exemplo a seguir é de um caso real e diz respeito à minha própria experiência com liderança.

Sou fascinado por duas coisas: no trabalho, amo transformar o potencial humano em resultados rápidos; na vida pessoal, amo fazer algo todo dia para viabilizar o florescimento das pessoas. Falo e leio a respeito de ambas, aprendo o quanto posso sobre cada uma e não consigo imaginar passar um dia sequer sem praticá-las. São, sem dúvida, minhas maiores paixões.

Talento

O que você faz realmente bem? Onde residem suas forças? Para responder a essas questões, comece identificando o que você faz bem em sua empresa. De que formas efetivamente serve seus clientes e funcionários? Pensar no talento também lhe dá a oportunidade de dizer: "Posso ter talento para tal coisa, mas não sou apaixonado por ela". Considere as seguintes questões que podem ajudá-lo a iniciar esse processo de reflexão:

1. Quais são meus cinco talentos ou habilidades mais importantes?
2. De qual contribuição ou realização tenho mais orgulho? Por quê?
3. Qual parte de meu trabalho me rende mais elogios?
4. As cinco atividades profissionais em que mais me sobressaio são...
5. Qual área de meu trabalho planejo dominar?

Sou muito bom em enxergar conteúdos e contextos implícitos nos maiores sonhos, expectativas e aspirações das pessoas. É um dom com o qual nasci e tenho feito o possível para respeitá-lo, cultivá-lo e melhorá-lo. Também sou ótimo para transmitir mensagens de liderança, habilidade que aprimorei porque quero que os líderes estimulem o desenvolvimento humano como parte fundamental de sua missão. Também sou ótimo no estabelecimento de prioridades e na tomada de decisões executivas, apresentando, desse modo, ideias práticas e palpáveis que meus clientes possam usar imediatamente para melhorar a qualidade de suas relações mais importantes.

Valor

Por último, mas certamente não menos importante, está o valor. Esclarecer seu propósito requer a compreensão do valor que suas ações criam, pois seus resultados são frequentemente mais significativos do que a mera realização de uma tarefa.

Por exemplo, quando você contrata alguém para aparar seu gramado, o resultado é uma grama cortada e um jardim limpo. Ao mesmo tempo, há um resultado relacional mais significativo: você transformou o tempo de realização de uma tarefa menos importante (cortar a grama) em tempo de qualidade com sua família. Cria-se uma importante conexão emocional porque você delegou uma tarefa e investiu na relação com seus entes queridos.

Como forma de articular especificamente o valor que você cria, responda às seguintes perguntas para ter uma ideia sobre sua liderança.

1. Liste o máximo de atividades possíveis que você desempenha em seu cargo.
2. Liste pelo menos dois resultados para cada atividade identificada no item 1.
3. Revise as atividades e os resultados identificados. Qual ou quais você realiza de maneiras distintivas e altamente valorosas?
4. Quais são as quatro atividades que, na sua opinião, são mais valiosas?

Ao responder a essas perguntas, o que você aprendeu sobre sua liderança? Agora você é capaz de responder às quatro questões a seguir?

1. Em minha vida profissional, quais são as minhas contribuições mais valiosas a meus clientes, colegas, parceiros e empresa?
2. Quais aspectos de meu trabalho são singulares? O que faz de mim diferente de meus colegas que têm o mesmo papel na empresa?
3. Qual parte de meu trabalho, se eu não a fizesse mais, deixaria meu cliente altamente desapontado?
4. Como posso aumentar o valor que proporciono à minha empresa?

Nenhuma afirmação de valor deve mencionar como você ajudou seu cliente ou consumidor a chegar a um resultado. Sempre leve em consideração o aumento do crescimento, a redução de rotação de funcionários, o aprimoramento na satisfação do cliente, entre outros resultados. Tenha sempre em mente que as pessoas não querem saber qual instrumento é utilizado para que elas alcancem o resultado que desejam. Elas se importam somente com o valor ou resultado que experimentam.

Qual é seu propósito?

Reflita sobre as informações que você obteve até agora. Quais ideias são particularmente significativas para você? Esses *insights* são catalisadores para seu propósito de liderança. Agora é hora de escrever a declaração inicial de seu propósito, que deve refletir sua paixão, suas competências e resultados organizacionais pelos quais deseja ser conhecido. A seguir há um modelo, mas sinta-se livre para escrevê-la com suas próprias palavras.

EU CRIO (MINHA ATIVIDADE) DE MODO QUE (MEU CONSUMIDOR OU CLIENTE) POSSA ALCANÇAR (OBJETIVO FINAL).

Experimente

Agora que você tem um rascunho inicial de sua declaração de propósito, o que acha? Reserve alguns minutos para discutir seu propósito com alguém em quem confia e respeita. Se for ousado, converse com um cliente e observe sua reação. Ela repercute em você? Quais eventuais mudanças deixariam seu propósito mais adequado à sua liderança?

Na seção seguinte, falaremos sobre como vivenciar seu propósito de maneiras significativas e relevantes ao mesmo tempo que constrói uma marca e uma reputação como alguém que cria resultados revolucionários.

SEJA DISTINTO OU SEJA EXTINTO

O que o torna diferenciado? Essa pode ser uma pergunta de difícil resposta. Não conseguimos nos enxergar claramente e muitas vezes nosso *mindset* presta mais atenção ao que não estamos fazendo bem do que aos nossos pontos fortes. Além disso, temos contra nós o fato de trabalharmos em um mundo corporativo em que somos aconselhados a fazer mais, melhor, mais rápido e mais barato. Esse mantra da performance nunca acaba e nos deixa sobrecarregados.

A ideia central da distinção não se refere a você ter de parecer alguém que não é e sim ao alinhamento entre seus dons e seu talento para criar, de formas altamente exclusivas, soluções para pessoas que irão valorizá-las. Essa é uma ideia incrivelmente simples e certamente não há nenhuma ciência oculta por trás dela. Entretanto, muitas vezes percebo nos líderes um *mindset* que prioriza a crença na necessidade de agirem de acordo com o desejo de seus clientes, e não de acordo com aquilo que eles podem fazer de forma diferenciada e útil para esses clientes. Esse equívoco, todavia, joga pela janela a satisfação e o desempenho.

O ponto de partida da distinção tem três aspectos: você precisa ter um propósito que o envolva e entusiasme; precisa compreender e escutar seus clientes e funcionários de maneiras que lhe forneçam informações úteis; e você precisa ter uma autoconfiança inabalável. Na última seção falamos sobre o amor, o talento e o valor que você oferece; na próxima vamos abordar como trabalhar uma marca de liderança e uma reputação que seja altamente diferenciada. Essa etapa revelará suas crenças mais distintivas e os motivos pelos quais elas são importantes.

Há um site chamado thisibelieve.org, uma organização internacional que cativa as pessoas descrevendo os valores centrais que guiam suas vidas diárias. É possível ouvir histórias sobre a crença das pessoas na NPR.[1] Quando ouvi isso pela primeira vez, fiquei intrigado e pensei ser um excelente exercício de esclarecimento de valores para meus clientes. Fiz o exercício e compartilho minhas respostas como catalisador para ajudá-lo a esclarecer sua crença. Por quê? Acredito que, se você tiver claro aquilo em que acredita, poderá se concentrar em tornar essa crença válida e real. No total, há 14 coisas nas quais acredito.

1. **Acredito que o amor torna o mundo um lugar melhor.** Todo sistema tradicional de crenças determina que o mundo em que vivemos foi criado no amor e pelo amor, e que temos a responsabilidade de viver de acordo com tal fé. Acredito que amor seja uma palavra usada com pouca frequência no mundo corporativo e que, ao deixar de usá-la, estamos subestimando a nós mesmos, nossas famílias, nossos funcionários e nossos clientes.

---

1 National Public Radio (abreviada para NPR e, em português, Rádio Pública Nacional) é uma organização de comunicação social, sem fins lucrativos e de titularidade pública do governo dos Estados Unidos. (N. E.)

2. **Acredito que a generosidade é um hábito e provém da gratidão.** Acredito que pessoas ingratas são incapazes de ser generosas. A generosidade pode ser emocional, espiritual ou financeira. Sim, as pessoas podem fazer cheques por obrigação, mas a verdadeira dadivosidade, o prazer de dar ao outro sem a expectativa de um retorno, tem suas raízes em um *mindset* generoso. Quando não somos gratos pelo que temos, nos apegamos em demasia a nossos bens e nos tornamos mesquinhos.
3. **Acredito que a quem muito foi dado, muito será exigido.** Tenho sido incrivelmente abençoado em minha vida e acredito que, em troca, é meu papel, minha responsabilidade e, sim, minha obrigação compartilhar com os outros o que aprendi. Não espero que todos sigam o que compartilho, mas espero que mantenham viva a troca de estratégias de sucesso.
4. **Acredito que precisamos aposentar a palavra aposentadoria.** As estatísticas mostram que quando eu tiver 65 anos, se for razoavelmente saudável, viverei ainda até os 90. Não consigo me imaginar dormindo sentado o dia inteiro. Muitas pessoas acreditam que a aposentadoria significa não fazer nada por 25 anos. Eu amo o que faço e, enquanto estiver contribuindo para o mundo, por que deixaria de fazê-lo?
5. **Acredito que precisamos parar de impor nossas crenças e valores aos outros.** Precisamos nos libertar da Regra de Ouro e abraçar a Regra de Platina: a Regra de Ouro afirma que devo tratar as pessoas como quero ser tratado; a Regra de Platina diz que vou tratar as pessoas da maneira como elas querem ser tratadas, contanto que essa maneira esteja de acordo com nossos valores e que não os estejamos violando.

6. **Acredito que ou estamos crescendo ou estamos morrendo.** Se não estamos crescendo, estamos morrendo. Se não estamos aprendendo algo novo ou pensando diferente, estamos em decadência. Sim, a cada dia só temos essas duas opções. Muitas pessoas ficam satisfeitas vivendo suas vidas com base em *mindsets* ultrapassados e jamais desafiam o que pensam, sentem ou aquilo em que acreditam. Isso é, por excelência, uma tolice.
7. **Acredito em vivenciar diariamente a beleza.** Seja em obras de arte, seja na natureza, ver a beleza nos enriquece e nos eleva. Todos os dias devemos olhar para algo belo e permitir que nossa alma seja tocada e nossas vidas, enriquecidas. Pode ser algo tão simples quanto o luar refletido na água, a luz do sol atravessando uma folha ou a expressão de cuidado e preocupação que faz o dia de alguém ser melhor.
8. **Acredito que o *mindset* é superior ao conjunto de habilidades.** Acredito que há pessoas incrivelmente talentosas que nunca alcançam seu potencial pleno porque seu *mindset* é contaminado por problemas do passado e, portanto, macula o que lhes acontece.
9. **Acredito que as pessoas vivem com medo.** O medo tornou-se onipresente e baseia-se em experiências passadas. Acredito que o medo reprime toda manifestação de criatividade. Em minha vida, tive de me libertar do medo porque ele prevalecia em uma grande parcela de minha criação. Acho que há muitas pessoas no mundo guiadas pelo medo.
10. **Acredito na presunção de uma intenção positiva.** Há pessoas com as quais nos relacionamos que nem sempre levam às melhores interações; entretanto, não devemos presumir que essas pessoas sejam mal-intencionadas. As pessoas não existem apenas para tirar vantagem de nós.

11. **Acredito na existência de um mesmo ponto de partida, não de um mesmo ponto de chegada.** Acredito que a sociedade vem promovendo um *mindset* de vitimização e direitos naturais. Há pessoas que acreditam que devem ter o mesmo resultado na vida que outras tiveram, mas só porque são capazes de entrar em um negócio não significa que devam alcançar os mesmos objetivos que todos os outros que começaram o mesmo empreendimento. Cada um de nós tem direito ao mesmo ponto de partida, mas não ao mesmo ponto de chegada.
12. **Acredito que ser sobrecarregado é uma escolha.** Quando não temos prioridades, papéis e expectativas claras, quando não temos certeza se podemos dizer sim ou não, quando não temos foco nas tarefas críticas que precisam necessariamente ser feitas, vamos nos sentir sobrecarregados. Essa situação pode ser contornada ao fazermos uma ou duas escolhas que nos permitam sentir que estamos no poder e no controle.
13. **Acredito que devemos saborear a vida.** Acredito que a vida pode ser um banquete, mas a maioria das pessoas escolhe um drive-thru de fast-food. Quando abrimos os olhos para a beleza natural que nos rodeia e para as pessoas interessantes que há em lugares fantásticos, só podemos nos maravilhar com a abundância do universo. Todavia, muitas pessoas estão simplesmente sobrevivendo em vez de desfrutar a vida – uma péssima forma de trilhar seu caminho.
14. **Acredito que posso ajudá-lo a levar uma vida mais recompensadora**. Sem dúvida, tenho uma vida fabulosa e muito abençoada. Acredito que, de uma forma bem modesta, articulando esta lista de crenças, posso ajudá-lo a compilar as cinco, dez, 15 ou 20 coisas em que você acredita. Penso que,

quando elucidar seus princípios, você conseguirá se concentrar em sua essência e fazer com que se tornem ainda mais reais.

Vamos voltar à questão do início desta seção: o que o torna diferenciado? Para ter uma perspectiva mais precisa de quem você é e do que o torna uma pessoa única, reserve um tempo para responder a outra questão: no que acredito? Você se enxergará de forma clara, levantará o nevoeiro que encobre seu trabalho e fará ligações significativas e altamente diferenciadas entre sua fé e seu trabalho. Agora vamos descobrir se você está vivendo de acordo com suas crenças centrais e aproveitar para conhecer formas de se sentir revigorado com seu trabalho.

O QUE VOCÊ ESTÁ VENDENDO?

Certa vez, um executivo da Harley Davidson, questionado a respeito do produto que a empresa vendia, disse: "O que vendemos é a possibilidade de um contador de 40 anos vestir uma roupa preta de couro e dirigir pelas ruas de cidades pequenas amedrontando as pessoas". Trata-se de uma frase ao mesmo tempo concisa e provocante, mas leva à seguinte pergunta: o que você está vendendo?

Qual é a primeira coisa que vem à cabeça de seus clientes e funcionários quando estimulados a dizer o que você representa? A excelência na experiência do cliente? A criação de uma cultura na qual cada um dos funcionários está comprometido em criar nada menos do que o extraordinário? A redução dos custos? A resistência aos cortes de pessoal? Ou você, como líder, é um provedor de otimismo, pensamento transformador e crescimento sem precedentes? Você está vendendo a ideia de que, para ter uma empresa de sucesso, seu trabalho como líder é ajudar cada um dos funcionários a fazer diariamente algo que permita que tanto eles quanto seus clientes evoluam? Você está fazendo aquilo em que acredita – independentemente do que seja – de uma maneira assertiva e de modo que as pessoas queiram comprar?

Nesta seção você fará a ligação concreta entre aquilo em que acredita e a experiência das pessoas. Duas são as palavras que você deve observar com atenção: intenção e impacto. Sua intenção pode ser pura como a neve, mas seu impacto pode ser negativo e fazer as pessoas saírem correndo – metaforicamente, é claro. Enquanto lê esta seção, tenha em mente um ponto específico: as pessoas jamais compram o que você está vendendo baseadas em sua intenção. Elas compram o que você está vendendo baseadas na forma como você as impacta pessoalmente em decorrência do que faz e fala.

O PROCESSO DE IMPACTO DA MARCA DE LIDERANÇA

As empresas conhecem o poder das marcas. As marcas criam valor, lealdade e, quando são atraentes e distintivas, criam também profundas experiências emocionais para os clientes – um processo que, por sua vez, atrai outros clientes que estão em busca da mesma experiência. O que não é tão conhecido, porém, é que a marca da liderança pode ser um catalisador para o crescimento transformador. Líderes revolucionários deixaram de se apoiar apenas na marca de suas empresas para guiar suas condutas e começaram a desenvolver suas próprias marcas individuais.

Por onde começar? O que conto a seguir é meu próprio processo da Marca de Liderança de Impacto (MLI). Há dois pontos cruciais por onde começar: primeiro, saiba ou não, você possui uma marca; segundo, o impacto que sua marca causa nos outros está ajudando ou prejudicando seu desempenho. A MLI irá ajudá-lo a descobrir se o impacto de sua marca é positivo ou negativo.

O processo que será apresentado não é para fracos e exige coragem. Você deverá perguntar a pessoas que lhe são importantes qual impacto você causa e assim poderá vê-lo de modo claro e, possivelmente, pela primeira vez. Algumas coisas que ouvirá poderão ser imensamente gratificantes e inspiradoras; outros aspectos, todavia, poderão causar incômodo e constrangimento. Mas fique tranquilo – afinal, você não pode mudar nada a menos que tenha uma visão clara das coisas. A MLI irá ajudá-lo nesse processo.

Passo 1

Esclareça o impacto que deseja que sua marca cause. Reserve 10 minutos para descrever a impressão que quer causar nas pessoas que importam para você. O primeiro passo para compreender o impacto que sua marca causa nos outros envolve escrever quatro palavras ou frases que descrevam sua liderança do seu ponto de vista. Não pense demais – simplesmente capture o que enxerga como a essência de sua liderança. Por exemplo, você pode usar palavras como inspirador, colaborador, atencioso e pragmático.

Passo 2

Esclareça o impacto que as pessoas experimentam mediante sua marca. Este passo começa com a criação de uma lista de oito a dez pessoas em quem confia e as quais respeita. Podem ser colegas, gerentes, colegas de trabalho, ex-funcionários e amigos. Sua lista deve conter apenas pessoas cujas opiniões você respeita.

Telefone ou fale pessoalmente com as pessoas em sua lista e explique que você está envolvido em uma atividade de liderança que exige *feedbacks* claros. Como você respeita essas pessoas, a ajuda delas em determinar o impacto de sua liderança, a partir de uma perspectiva externa, é essencial.

Especificamente, peça para que lhe forneçam quatro palavras ou frases que elas acreditam melhor descrever o impacto de sua liderança nelas e nos outros. Pode ser uma palavra descritiva, como inovador ou inspirador. Pode haver outro tipo de expressões, como atitude proativa.

Passo 3

Este passo é a revisão das 32 a 40 palavras que representam o que os outros veem como sua Marca de Liderança de Impacto. Revise suas palavras e faça uma lista de temas e padrões. Palavras similares ou sinônimas devem ser sintetizadas em um único descritor que melhor represente o que você acredita ser o tom e/ou impressão dessas palavras.

O objetivo central deste passo é esclarecer sua Marca de Liderança de Impacto a partir de outras perspectivas e sintetizá-la no mínimo de palavras possível. Isso permitirá que você estude suas duas listas e procure disparidades entre sua intenção e a experiência das pessoas. Há uma diferença entre o impacto de marca que você deseja e o impacto de marca listado por seus observadores? Enquanto observa sua lista, tente responder às seguintes questões:

1. Minha intenção está alinhada com meu impacto?
2. Estou sendo visto de formas consistentes com meu propósito?
3. Os descritores do impacto de minha marca (tanto os meus quanto os de meus observadores) são distintivos ou simplesmente consequências de eu estar na minha posição?
4. Quais os altos e baixos de minha marca de liderança/ reputação?

5. Fico animado ou neutro diante das palavras usadas para me descrever?

Sem dúvida, há palavras em suas listas que estão alinhadas com o que você deseja e outras que não estão. Líderes revolucionários crescem e assumem a responsabilidade pelo impacto que causam nos outros.

Passo 4

Este passo irá ajudá-lo a esclarecer os comportamentos que deverá adotar para criar o impacto da marca que deseja. Trata-se de responder a três perguntas muito importantes:

1. Qual é o impacto pelo qual quero ser conhecido?
2. Se quero ser conhecido por XYZ, quais traços, características, comportamentos, atitudes e/ou valores devo incorporar de modo a criar o impacto que desejo?
3. O que deverá ser, para mim, essencial ou não negociável?

Este último passo diz menos respeito à lógica e mais ao que é provável. Fundamenta-se, pois, na articulação das maiores expectativas, sonhos e pretensões que você tem com relação ao impacto de sua liderança. É um passo fundamental, pois transforma as informações que você recolheu do MLI e o leva a desenvolver comportamentos claros sobre o que você implementará com base em tais dados. Se passar direto por esta etapa, o MLI pode se tornar um exercício intelectualmente interessante, mas não levará a nada valioso ou revolucionário.

Aparecer é o ponto essencial. Ganhar destaque exige foco diário na maneira como você se comunica, conduz reuniões, delega, responsabiliza as pessoas, conversa com clientes e lida com as adversidades e incertezas, regulando seu impacto para levar as pessoas a comprar o que você está vendendo.

Passo 5

Neste passo, os líderes voltam a todas as pessoas que lhes forneceram *feedback* e compartilham com elas o impacto que desejam causar. Eles mostram de uma maneira real e transparente o que aprenderam sobre sua liderança, quais informações recolheram e o que farão de diferente.

Neste momento, devem permitir que as pessoas lhes digam quando não estão agindo de acordo com o que elas informaram. E não devem apenas permitir, mas contínua e frequentemente pedir conselhos sobre como podem viver sua marca de liderança de um modo poderoso, assertivo e inspirador.

Meus clientes que usaram com sucesso o MLI relatam que esse processo os transformou. Eles sentiram que o poeta escocês Robert Burns tinha razão quando disse, com efeito, que nos vermos como os outros nos veem é essencial. Também relataram que se tornaram 60 por cento mais eficientes após passar por esse processo. Espero que o mesmo ocorra com você. Na seção seguinte, você unificará tudo o que aprendeu até agora e mergulhará no processo de criação de seu dia ideal.

SEU DIA IDEAL ESTÁ ESPERANDO

Será que é possível que todo dia seja um dia ideal? Não, não é. Será que as escolhas que fazemos aumentam a possibilidade de incrementar o número de dias que vivemos como ideais? Sim, certamente.

Eis uma sugestão ousada: viver um dia ideal é uma escolha. É impossível contornar o fato de que temos livre-arbítrio para escolher como planejar e viver nossas vidas. Em seu livro *Man's Search for Meaning*, o psicólogo Viktor Frankl conta como, diante do horror, privação e crueldade incomensuráveis que foram os campos de concentração nazistas, ele pôde escolher sua experiência. Ele não decidiu simplesmente colocar óculos cor-de-rosa e pensar em coisas felizes – ele escolheu aceitar suas circunstâncias e concentrar suas esperanças no que viveria e realizaria após a libertação.

Viktor Frankl tampouco delegou suas escolhas às experiências diárias. Ele escolheu suas vivências e trabalhou incansavelmente no campo de concentração para compartilhar sua decisão com os outros prisioneiros. Sem questionar, postulou que todos escolhemos como vivemos e sentimos nossos dias.

Naturalmente, há dias em que chegaremos ao escritório sabendo que vamos demitir um funcionário que tem dois filhos na faculdade e acabou de comprar uma casa nova. Todos concordamos que situações como essa são difíceis e desafiadoras. No entanto, muitos líderes veem apenas o lado negativo. Eles veem o trabalho como uma palavra de três sílabas e seus dias como um campo minado, uma incansável obrigação de fazer mais, melhor e mais barato e uma ofensiva constante de pessoas dissimuladas, manipuladoras ou preguiçosas que tornam o dia frustrante e penoso.

Encarar seu dia assim faz com que você chegue em casa sobrecarregado, exausto e incapaz de realizar conexões significativas com seus amigos e familiares. Esse tipo de dia suga todas as suas energias emocionais, pois você as investe simplesmente no ato de sobreviver a ele. Que tipo de dia você está escolhendo viver? Está optando por um dia ideal que você criou ou um dia em que simplesmente responde às exigências impostas pela situação?

Você está mais perto do que imagina

A boa notícia é que seu ideal está mais próximo do que você imagina. Trata-se apenas de uma mudança de perspectiva ou crença.

Há 8 anos, minha esposa começou a se aborrecer de dormir ao meu lado. Meu ronco a despertava no meio da noite, embora ela usasse protetores auriculares. Marquei um estudo de sono e descobri que tinha uma leve apneia. O uso de CPAP, uma máquina que produz uma pressão positiva contínua nas vias aéreas, fez com que eu acordasse pela manhã sem a sensação de ter passado a noite toda em um ringue lutando com um peso-pesado.

A qualidade do meu sono aumentou, mas a quantidade não. Eu despertava às 2h30 da madrugada e ficava acordado durante mais ou menos uma hora. Quando adormecida, meu sono era de qualidade, mas eu não adormecia o suficiente.

Trabalhei com um *coach* de sono (sim, existe) e descobri que um aumento na quantidade de sono estava mais próximo do que eu imaginava. Minha perspectiva era de que precisava ir para a cama mais cedo, quando, na verdade, deveria ser o oposto no meu caso. Ou seja, eu precisava ir para a cama 45 minutos mais tarde. Ao fazer isso, eu dormiria ininterruptamente a noite toda. Era um contrassenso.

Aprendi duas lições importantes: a primeira é que *coaches* são a maneira mais rápida de se aumentar a performance e também de torná-la sustentável; a segunda lição que aprendi é que frequentemente estamos mais próximos de nosso ideal do que podemos enxergar. Quando mudamos a perspectiva, mudamos a maneira como agimos e respondemos. Ao mudar de postura, mudamos os resultados que alcançamos. Viver nosso dia ideal é simples assim e não deveria ser alvo de complicações.

POR ONDE COMEÇAR?

Nas seções anteriores, você identificou o que ama fazer, o que faz bem e qual é o valor que leva para sua equipe e empresa. Articulou quais são suas crenças e o que o torna distintivo aos olhos de suas relações mais importantes. Ademais, viu o impacto de sua liderança através dos olhos de pessoas que você respeita. Diante desse cenário, há três coisas que precisa fazer para viver seu dia ideal: precisa reformular o passado, reivindicar o futuro e recalibrar o presente.

Reformular o passado

Você precisa ser capaz de olhar para os acontecimentos negativos de seu passado e dizer: "Pode não ter sido ideal, mas é assim que vou ver esses acontecimentos e o que aprendi com eles". Ao escolher focar nos aspectos positivos, você se torna altamente resiliente, o que molda suas reações e comportamentos de maneira benéfica. Às vezes pode ser difícil, mas converter experiências negativas em experiências positivas é algo incrivelmente poderoso – e está ao seu alcance! Quais experiências você gostaria de reformular? Eu escolho reformular o confisco da mobília de minha família, transformando o que era uma perda de posses pessoais em um ganho de tenacidade, disciplina e perseverança.

Reivindicar o futuro

Para que você aumente as chances de ter o seu dia ideal, é necessário que diga sim aos sonhos, aos desejos e às grandes ideias que se apoderam de ti. Grandes sonhos ou aspirações nos fazem agir como um jogador que aposta tudo. Naquele momento, a conversa é: "De jeito nenhum vou aceitar um 'não' como resposta para essa meta de vida profissional e pessoal. Essa é a vida que reivindico". Quando você vive o propósito de sua liderança, não há porta de saída. Quando você diz: "Vou conquistar isso", você reivindica o dia idealizado que tem em sua mente.

Recalibrar o presente

Recalibrar seu presente exige discernir que coisas você não deve fazer novamente e quais atitudes deve manter. Essa estratégia exige retomar o que funcionou e o que não funcionou ao longo do último ano. O que acelerou sua performance e seu sentimento de satisfação? O que criou em você expectativas, e o que criou ansiedade? Identifique as áreas de seu presente que foram um estorvo e faça tudo o que puder para reduzi-las ou eliminá-las. Encontre aquelas coisas que vão ajudá-lo a guiar seu crescimento e tente multiplicá-las.

Se você reformular seu passado, reivindicar seu futuro e recalibrar seu presente, poderá viver seu dia ideal. Mas não se esqueça: o ato mais revolucionário que você pode ter é reivindicar seu dia perfeito e persegui-lo com fé, confiança e grande determinação. Quando você articula seu dia ideal, é fundamental que o compartilhe com alguém em quem confia e respeita, para torná-lo ainda mais real e tangível. Isso não quer dizer que todos os dias serão ideais, mas, sim, que o número de dias ideais aumentará consideravelmente.

Os capítulos seguintes servem de apoio a todo o trabalho que você fez até este momento. No capítulo 2, você aplicará o que aprendeu de maneiras profissionalmente gratificantes – maneiras que, ademais, são entusiasmantes e capazes de aumentar drasticamente o nível de crescimento que você busca em seus rendimentos, no seu desempenho e na qualidade de suas relações pessoais e profissionais.

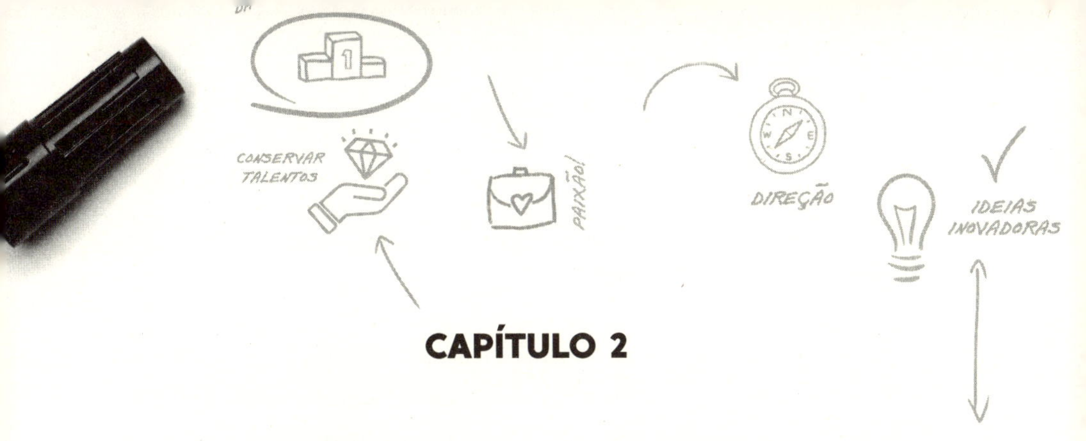

CAPÍTULO 2

O Princípio da Promessa

A DIFERENÇA ENTRE PROMESSA, COMPROMISSO E VOTO

Há quatro anos, minha esposa, Alyson, encontrou uma linda casa a uma quadra da praia em um bairro calmo do Estuário de Puget. Ela estava convencida de que aquela casa, que não era reformada desde 1957, seria uma fabulosa tela em branco na qual poderíamos construir nosso oásis contemporâneo com vista para a enseada. Mas eu não via assim. O que eu via era uma casa com piso irregular, carpete velho, sem escritório e vizinha de um galo que me deixaria louco.

Mas Alyson me fez visitar o imóvel três vezes e criou uma imagem mental que comecei finalmente a enxergar. Ela me ganhou quando descemos as escadas e nos vimos diante de uma lareira. Ela me virou e me fez olhar por uma janela de 1,80 por 3 metros com vista para o oceano e disse: "Esta é a sede mundial da Claris Consulting. Aqui será seu escritório. Prometo que será um espaço inspirador que criará o *mindset* perfeito para você fazer seu trabalho".

Acreditei nela e assinei uma procuração para que ela comprasse a casa, pois eu estaria em uma viagem de negócios pelas três semanas seguintes.

ATENÇÃO, PRIORIDADES

O QUE É UMA PROMESSA?

Uma promessa é um compromisso profundo, uma garantia aos outros do que faremos ou deixaremos de fazer. Alyson me prometeu o escritório dos sonhos e fez tudo o que pôde para tornar isso realidade, incluindo adiar outras reformas na casa. Ao postergar a reforma da cozinha, ela deixou claro que sua promessa não eram meras palavras que usara para me convencer a comprar a casa. Não, ela estava falando sério, mesmo que aquilo exigisse deixar para mais tarde as reformas nas áreas da casa com as quais ela sonhava.

A seguir estão cinco lições poderosas sobre promessas que aprendi com Alyson:

1. Promessas sem um propósito ou objetivo maior têm pouco ou nenhum impacto.
2. Promessas são voluntárias e jamais devem ser impostas.
3. Promessas exigem dizer tanto "não" quanto "sim".
4. Promessas feitas àqueles que amamos têm um peso enorme.
5. Promessas dizem respeito à credibilidade e à confiança.

O propósito das promessas

Alyson claramente via o que eu não conseguia ver e sabia que, embora eu não pudesse enxergar prontamente como a casa ficaria, com o tempo teria a mesma visão. Ela estava decidida a concretizar a ideia que tínhamos para nossa casa. Concentrou-se em ter uma casa com vista para as montanhas e para o mar, muita luz natural, um espaço *clean* e contemporâneo, áreas de lazer e um escritório para mim. Suas decisões estavam direcionadas a tornar nossos planos reais e sua promessa de que eu teria um ambiente de trabalho perfeito teve um forte impacto em mim, porque eu sabia que ela compartilhava dos meus objetivos profissionais.

As promessas são voluntárias, jamais impostas. As promessas devem ser espontâneas. Quando feitas apenas para satisfazer alguém ou para se conseguir algo, sendo, em seguida, usadas para virar o jogo e renegociar o resultado, são vazias e manipuladoras. Alyson voluntariamente fez promessas sobre o cronograma da reforma de nossa casa e, com isso, comunicou o que mais importava: ter a casa de nossos sonhos de uma forma que funcionasse para nós dois.

Mas as promessas também exigem dizer "não". Comprada nossa casa, sabíamos que o conselho que nos deram a respeito do orçamento para a reforma era preciso. Pegue três orçamentos, junte todos e o resultado será o preço real da obra. Sabíamos que teríamos de dizer não para certas coisas; por exemplo, os banheiros ficariam por último. De uma perspectiva de liderança, Alyson conduziu os negócios com o empreiteiro e teve de repetidamente dizer não às ideias de intervenções. Com um orçamento de um milhão de dólares, poderíamos dizer sim a mais ideias, mas não tínhamos esse montante, de modo que dizer não era essencial. O mesmo vale para as promessas: se você diz sim ao prometer, ao que terá de dizer não para que possa cumprir sua palavra?

Quando fazemos promessas a pessoas importantes para nós, as palavras têm um peso enorme. Promessas não são feitas ao telemarketing que liga 8 horas da noite de uma quarta-feira. Se uma promessa é feita nessa situação, a intenção é simplesmente se livrar da ligação o mais rápido possível. Uma promessa feita para um filho, esposa ou chefe é totalmente diferente. Quando fazemos promessas para pessoas queridas, as palavras ganham mais importância e demandam maior compromisso de nossa parte para que sejam realizadas.

A credibilidade e a confiança compõem as promessas. Sem exceção, promessas mantidas significam mais para a reputação de um líder perante seus funcionários e clientes do que qualquer outra iniciativa de desenvolvimento de liderança. Na verdade, a regra de ouro para ser o tipo de líder que as pessoas desejam seguir é incrivelmente simples: faça o que diz que fará. Foi isso que Alyson fez em uma reforma de alto risco. Quando cada orçamento previsto pelo empreiteiro estourava, ela fazia o que sempre disse que faria e jamais hesitava. Nesse ambiente crítico em que o dinheiro se esvaía como água, eu podia confiar que ela sabia o que estava fazendo.

Por que você deve se importar com as promessas que faz? Porque seus funcionários e clientes já ouviram líderes fazendo promessas antes e deixando de cumpri-las. Eles estão cansados, desinteressados e desconfiados de líderes, a ponto de somente tolerar a maioria deles. Quando líderes dizem às pessoas o que elas querem ouvir e, em seguida, fazem algo completamente diferente, cria-se um hiato de credibilidade que deixa os funcionários descrentes na mensagem simplesmente porque não acreditam no mensageiro.

As promessas que fazemos para nós mesmos podem inspirar confiança; mesmo assim, com que facilidade as quebramos? Às vezes, pode parecer que nossas vidas em casa e no trabalho estão sobrecarregadas por tudo que exige nossa atenção. Como resultado, lutamos para manter as promessas que fazemos tanto para os outros quanto para nós mesmos. Já que não planejamos honrar nossas promessas, elas têm poucas chances de serem realizadas. No Princípio da Promessa, você verá como promessas cumpridas aumentam sua liderança e reforçam seu propósito.

AVALIAÇÃO DAS PROMESSAS

Pense nos diferentes tipos de promessas que você faz em seu trabalho e em casa. Os tipos de promessas podem incluir cumprir prazos, ficar dentro do orçamento, respeitar um compromisso com um colega, escolher agir de modo a reforçar seu propósito e assim por diante. Faça uma lista de oito a 12 promessas que você costuma fazer. Depois que tiver sua lista, classifique como mantém essas promessas em uma escala de 5 pontos (1 sendo facilmente quebradas e 5 sempre honrando).

Responda às seguintes perguntas e, em seguida, observe sua lista e sua classificação.

1. Que tipos de promessas você honra?
2. Em quais situações é mais difícil manter suas promessas?
3. Que resultados essas escolhas trazem às relações?
4. Como essas promessas se relacionam com seu propósito?

Para que você viva seu propósito de forma completa, quais são as duas ou três promessas que faz *a si mesmo*? Quais promessas importantes você quer de si mesmo e estão alinhadas com o seu propósito?

Para que você viva de forma completa seu propósito, quais são as duas ou três promessas necessárias que faz para seus funcionários, clientes, chefes, diretoria, família e amigos? Quais são as promessas importantes que você quer fazer de acordo com seu propósito e que fomentam o aumento de credibilidade e confiança?

Antes de passar para a seção seguinte, sobre por que a ausência de promessas cria apreensão, ambiguidade e incerteza, pare um pouco e faça uma lista de suas promessas não negociáveis. Trata-se das promessas que você faz para pessoas que são importantes para você. Se essas pessoas realmente importam, você não manterá essas promessas apenas em sua mente, mas colocará mãos à obra e tornará suas palavras concretas e tangíveis.

POR QUE A APREENSÃO, A AMBIGUIDADE E A INCERTEZA FLORESCEM QUANDO NÃO HÁ PROMESSAS

Qual é a raiz da apreensão, da ambiguidade e da incerteza? No cerne de cada uma dessas palavras está o medo. Se estou apreensivo, estou com medo do desconhecido. Quando a ambiguidade está presente, não estou certo do que pode vir a acontecer. Com a incerteza, posso temer o que virá depois. Não quero errar ou perder algo importante, portanto, eu me retraio.

Em cada um desses casos, funcionários inteligentes, talentosos e bem-intencionados ficam no banco de reserva em vez de correrem para o campo pedindo para entrar no jogo. Essa é a receita para o baixo desempenho.

Muitos de nós vivemos com medo quando se trata de nossas vidas profissionais. Para alguns, é um medo financeiro; para outros, emocional. Mas não importa a fonte ou o tipo, o medo debilita o crescimento pessoal e profissional ao longo do tempo. O medo pode ser um catalisador da ação, mas alto desempenho e progresso acelerado jamais são alcançados à sombra de um *mindset* dominado pelo temor.

Algumas pessoas dizem que o medo pode ser um elemento positivo em nossas vidas. Isso é real quando se trata de uma dose saudável de precaução em vez de um comportamento altamente arriscado, mas, no mundo corporativo, deixar o medo assumir o controle só leva à autossabotagem. Quando nos amedrontamos, jogamos para não perder em vez de jogarmos para ganhar.

Recentemente, fiquei sabendo que a afirmação "Não tenha medo" (ou advertência similar) aparece 365 vezes na Bíblia. Praticamente uma vez para cada dia do ano! Pense por um instante no que aconteceria se você dissesse a si mesmo que não há ninguém lá fora para pegá-lo e que você não será alvejado por uma chuva de tomates.

Em vez disso, e se você prometesse para si e para seus funcionários que direcionaria todo o seu poder emocional e intelectual a uma abordagem proativa dos desafios? O que aconteceria com seu desempenho se você prometesse criar poderosas soluções para problemas do trabalho e de casa enquanto coloca em suspensão a ansiedade de um *mindset* dominado pelo medo? Acredito que esta seria uma promessa libertadora e empoderadora.

Vamos deixar claro um ponto aqui: no mundo corporativo, o desempenho cai conforme o medo aumenta. Se o desempenho está caindo e seu mercado está se mantendo ou aumentando, garanto que há algum tipo de medo por trás disso. O sentimento pode assumir a forma de ansiedade frente a um novo trabalho ou responsabilidade. Também pode ser um medo financeiro de cortes no orçamento ou falta de recursos. Seja o que for, esse *mindset* contribui para a perda de progresso na empresa e demanda novas promessas para corrigi-lo.

A melhor forma de combater o medo é identificar sua causa. Se você puder determinar sua origem, poderá redirecioná-la e torná-la menos assustadora para você e sua equipe. Ao longo de meu trabalho como *coach* e mentor de executivos e empresários, descobri os sete tipos mais comuns de medo. Reserve um momento para pensar em cada um deles e identificar aqueles que representam um desafio para você.

1. Medo da responsabilidade

O medo da responsabilidade é duplo. Para líderes, há o medo de que, ao responsabilizar uma pessoa, ela pode se chatear ou desafiar seu ponto de vista. Em uma empresa com a qual trabalhei, o tipo de comportamento de uma executiva sênior fazia com que ela tivesse medo de responsabilizar as pessoas. Ela era direta e reta. Seus pareceres diretos focavam nas relações interpessoais, buscavam manter a harmonia e eram avessos à criação de conflitos. Essa líder tinha medo de que sua forma de liderar fosse ofensiva e que seus funcionários sentissem que sua abordagem de busca pela responsabilização fosse mordaz e prejudicial. Em contrapartida, a promessa em jogo era de que expectativas claras, maior responsabilização com relação aos números e processos de excelência seriam temas abordados apenas se fossem confortáveis. Se alguém se sentisse desconfortável, a conversa estaria terminada.

2. Medo de cometer erros

O medo de cometer erros pode ser real em várias empresas. Em uma reunião de planejamento estratégico, ouvi o vice-presidente sênior de operações discorrer poeticamente sobre arriscar e melhorar o desempenho para, no fim, incutir medo e hesitação ao dizer convicto: "É claro que, ao assumir riscos, você deve ser bem-sucedido". A única opção para aquele homem era ter sucesso – falhar era equivalente a uma traição. Não é nenhuma surpresa que a maioria dos funcionários escolhe não se arriscar na incerteza de, bem, correr riscos. A promessa não dita, porém altamente poderosa, desse executivo era: tenha sucesso ou você já era.

3. Medo de deixar um emprego que suga suas energias

Os executivos com 50 anos ou mais com os quais converso têm medo de deixar seus empregos por causa da discriminação que podem sofrer no mercado de trabalho por conta da idade. O medo dobra quando se trata de mulheres. Algumas empresas preferem profissionais mais jovens? Sim. A discriminação por conta da idade existe? Sim. Entretanto, as realidades podem ser exageradas. Esse medo não considera ativamente o valor criado por um executivo ou a clientela e a marca desenvolvidas ao longo de anos de trabalho notório.

O que descobri nessa situação particular é um medo de não confiar em si mesmo na busca pelo dia a dia e estilo de vida ideais para sentir-se mais vivo. Sem prometermos a nós mesmos que criaremos e cultivaremos nosso dia ideal, nos obrigamos a permanecer em empregos e empresas que sugam nossas energias em vez de nos ajudar a despertar para a vida.

4. Medo de não ser visto como inteligente e bem-sucedido

Em seu cerne, o medo está enraizado na falta de autoconfiança. É a síndrome do impostor por excelência, em que funcionários e líderes se veem como "afortunados por ter um emprego" em vez de "tão talentosos que a empresa tem a sorte de tê-los". Trabalhei com um líder que tinha cinco graduações, todas em universidades da Ivy League, e cujo QI era maior do que o de 99 por cento não apenas da população geral, mas também de seus colegas. Conversando com ele, percebi que o principal motivo para ter feito cinco graduações era convencer a si mesmo de que era inteligente e bem-sucedido. Essa insegurança demonstrava o seguinte a seus colegas: sempre que ele se envolvesse em uma discussão sobre problemas do trabalho, faria o possível para ser visto como a pessoa mais inteligente do lugar. Seu medo acabava com a inovação, com a colaboração e com o desempenho.

5. Medo de chatear o chefe ou os líderes superiores

O medo de chatear o chefe ou os líderes superiores é mais comumente associado à informação de más notícias. Esse medo pode ter suas raízes na insegurança do funcionário ou na intolerância do chefe a comunicados negativos. Alguns chefes têm medo de notícias ruins, portanto, vestem um colete à prova de balas para afastá-las. Quando os funcionários temem tanto a ira de um chefe infeliz quanto a perda de energia e tempo, eles prometem a si mesmos evitar a situação e permitir que outra pessoa seja o portador das novidades ruins. Essa estratégia, definitivamente, nunca dá certo.

6. Medo de se afastar do sucesso atual para ter um sucesso ainda maior

Há equipes e líderes que veem o sucesso como mera sorte. Eles pensam que estavam no lugar certo na hora certa e que suas conquistas não se repetiriam. Essa perspectiva aparece sempre que surgem novas ideias e logo são descartadas com o famoso "não foi assim que fizemos no passado". Os líderes podem aprender muito com sua experiência, mas o ato de real coragem é ultrapassar os limites do conhecido, previsível e certo e desafiar-se a pensar e agir diferente. A promessa de manter o *status quo* é insensata, a menos que o *status quo* envolva contínua experimentação e inovação.

7. Medo de investir em si

Sem dúvida, a maneira mais rápida e sustentável de crescer é trabalhar com um *coach* ou mentor. Durante sete anos, trabalhei com um mentor chamado Alan Weiss. Ele é um astro da consultoria e escreveu 64 livros sobre o assunto. Sem nenhuma ressalva, o que investi para trabalhar com Alan retornou multiplicado por dez. Mas, mesmo assim, muitos líderes são reticentes quanto a trabalhar com um *coach* ou mentor porque têm medo de investir em si próprios. É uma tolice. O maior retorno de investimento que um líder pode ter é prometer a si mesmo e a seus funcionários que o crescimento profissional e pessoal é essencial e que ele será um modelo para os outros trabalhando com um instrutor especializado. Quando os líderes fazem isso, enviam uma mensagem clara de que o crescimento não é uma ideia teórica, mas uma promessa não negociável.

Qual medo prejudica mais sua performance? Qual medo prejudica mais a performance de seus funcionários? Se nenhum dos medos elencados anteriormente é um problema, qual medo, então, você enfrenta mais frequentemente? Esta seção procura diminuir a incerteza e apreensão dos funcionários com uma garantia de seus líderes concernente ao que podem esperar e no que podem confiar. Como um líder transformador, você tem a oportunidade de ajudar seus funcionários a sentirem-se mais seguros no trabalho e, em troca, eles desempenharão suas funções com mais qualidade e valor.

Reserve alguns minutos para criar uma lista de situações ou tópicos que deixam os funcionários inseguros, inibidos e apreensivos no trabalho. Em seguida, elabore uma lista de três promessas que você pode fazer para mitigar alguns desses medos. Suas ideias são o ponto de partida para nossa próxima seção, que discutirá como as promessas influenciam o comportamento das pessoas.

PROMESSAS COMO FERRAMENTAS PARA INFLUENCIAR COMPORTAMENTOS

Nesta seção, abordaremos as seis formas pelas quais uma promessa influencia o comportamento e descobriremos como as garantias que você faz ou fará estão influenciando suas relações mais importantes. As promessas impactam a conduta das pessoas de duas formas distintas: uma promessa mantida constrói confiança, respeito e credibilidade; uma promessa quebrada faz o oposto. A falta de palavra não apenas tem um impacto na tarefa e nos aspectos técnicos do trabalho, mas também afeta negativamente os aspectos relacionais de uma liderança.

Como você reagiria se um colega quebrasse uma promessa que lhe fez? Provavelmente, a resposta dependeria da seriedade da promessa feita e da importância que ela teria para você. Qual é o impacto relacional de promessas quebradas? Se você perdesse o sono por causa de colegas que o impediram de entregar um projeto dentro do prazo, o impacto seria substancial. Com que frequência seus colegas quebram promessas? Um acontecimento eventual é visto de forma diferente de um fluxo contínuo de descumprimento de palavra. Qual é o conselho que você dá aos outros quando não cumprem o acordado? Para que suas promessas exerçam uma influência positiva nas outras pessoas, três aspectos fundamentais devem ser levados em consideração.

1. As promessas devem se alinhar em torno de um estado futuro claro

As promessas comunicam em linguagem clara e persuasiva o destino ao qual cada uma das partes converge. Não há ideias ou temas gerais quando se trata de uma promessa, só específicos. Por exemplo, procurar e reter um novo fornecedor pode ser uma tarefa trabalhosa. O processo de busca pode levar três semanas, mas, desde que se tenha a garantia de um novo fornecedor, você pode ter um campo de visão mais amplo para aumentar a capacidade de produção, cumprir as entregas dentro do prazo e, ainda, dormir melhor. O estado de futuro claro o ajuda a diminuir a ansiedade, o que aumenta sua eficácia e sua performance como gerente de produção.

As promessas também criam um alinhamento. Carros com as rodas desalinhadas desperdiçam combustível e desgastam os pneus. Quando as rodas estão alinhadas, a ineficiência é removida e a longevidade dos pneus aumenta consideravelmente. Com as promessas, ocorre o mesmo. A partir do momento em que fica claro o que as partes desejam, elimina-se o gasto de energia com expectativas, resultados e alternativas que não estejam em conformidade com os objetivos mútuos.

2. As promessas devem esclarecer os resultados e as expectativas

Integrado a cada promessa está também o esclarecimento dos resultados e das expectativas. Por exemplo, quando um líder promete alcançar um resultado-chave e corresponder às expectativas em torno dele, está à revelia definindo os resultados e as expectativas de outros que, direta ou indiretamente, são impactados por sua garantia. Não há dúvidas de que, nesse mundo corporativo guiado pela necessidade de fazer mais, mais rápido e mais barato, esclarecer da melhor forma possível os resultados e as expectativas que se deseja faz com que os subordinados tenham mais confiança e um sentimento renovado de otimismo.

3. As promessas devem ser comunicadas de forma clara

Esta é uma premissa fundamental das promessas. Sempre que comunicamos expectativas e resultados, devemos aceitar 100 por cento da responsabilidade pelo impacto de nossas palavras nas outras pessoas. Foi-se o tempo em que um líder podia isentar-se com a desculpa "não foi isso o que eu quis dizer". A comunicação clara, especialmente de resultados e expectativas, demanda que os líderes compreendam as preferências de linguagem das pessoas com as quais está interagindo e transmita sua mensagem do melhor modo possível para ambas as partes, e não de uma forma que satisfaça apenas a liderança.

Paralelamente a esta premissa há aquela que assevera que as pessoas às quais se prometeu algo apenas se mostrarão flexíveis e compreensivas enquanto o outro não inventar desculpas por não cumprir sua palavra. Isso é fundamental para manter a credibilidade e a confiança elevadas, como, por exemplo, se pode ver na seguinte resposta: "Estraguei tudo. Me distraí com um pedido de última hora que meu chefe me fez. Não estou usando isso como desculpa, mas oferecendo uma explicação a respeito do que me atrapalhou. Tudo bem se eu fizer o que preciso até sexta-feira às 3 da tarde?".

Há um último ponto importante concernente à clareza de comunicação. Quando há respeito e confiança, a maioria das pessoas julga que há uma intenção positiva e age de acordo com isso. O principal trabalho de um líder é ser exemplo de boa reputação e caráter, para uma credibilidade inquestionável.

Não restam dúvidas de que você fez promessas que dizem respeito a prioridades estratégicas que precisa cumprir – você não será um bom líder sem isso. Entretanto, o que falta com frequência são promessas corajosas e atraentes relativas ao impacto que sua liderança terá nos outros. Com base no que você articulou nas seções "O que você está vendendo" e "Seu dia ideal está esperando", analisadas no Princípio do Propósito, quais promessas fará para aquelas pessoas que lhe são mais importantes?

Eis as cinco promessas que líderes revolucionários fazem:

1. Promessas para si mesmo.
2. Promessas para os funcionários.
3. Promessas para os clientes/consumidores.
4. Promessas para o chefe e/ou líderes seniores.
5. Promessas para os familiares e amigos.

Antes de passar para a seção que tratará dos perigos de uma promessa sem propósito, esboce uma, duas ou três promessas para cada uma das cinco áreas listadas. Observe alguns exemplos de meu trabalho como conselheiro e use-os para catalisar sua própria reflexão.

Promessa para si mesmo: Prometo que, apesar das demandas que enfrento no trabalho, vou fazer uma hora de exercícios físicos às segundas, quartas e sextas, começando às 6 da manhã. Também prometo fazer refeições saudáveis três vezes por semana e usar esse tempo para recarregar as energias, ajustar o foco e renovar o entusiasmo pelo trabalho.

Promessas para os funcionários: Prometo me esforçar, juntamente com minha equipe, para focar naquilo que estamos fazendo e também no que devemos melhorar. Isso não será simplesmente um item a mais em minha lista de afazeres, mas uma promessa de manter a equipe focada no trabalho positivo que está realizando.

Promessas para os clientes/consumidores: Prometo que meu objetivo principal será simplificar a vida de meus clientes/consumidores. Pedirei *feedback* e conselhos e prometo colocá-los em prática. Vou dizer-lhes minhas impressões, o que posso fazer diferente e estipularei um prazo para essas ações.

Promessas para o chefe e/ou líderes seniores: Prometo jamais levar problemas sem soluções a menos que eu não saiba o que fazer. Também prometo discordar com respeito e objetivamente em particular e apoiá-los em público.

Promessas para os familiares e amigos: Prometo jantar com vocês duas vezes por semana às 18h30 e deixar meu telefone desligado nesses momentos. Vocês são importantes para mim e, embora minha agenda seja lotada, prometo fazer o tempo que passamos juntos ter a melhor qualidade possível.

Cada uma dessas cinco áreas precisa ser contemplada. Fazer promessas apenas para si mesmo demonstra egocentrismo e comunica que você é a pessoa mais importante na relação. Fazer promessas apenas para os outros leva à vitimização e ao martírio. Quais promessas você fará? Para quem?

PRIORIDADES SEM PROPÓSITOS SÃO CATALISADORES DE BAIXA PERFORMANCE

Antes de mergulharmos na definição de prioridades, gostaria de parabenizá-lo por cumprir a difícil tarefa de elucidar seus propósitos e declarar suas promessas. Quando você trabalha os exercícios propostos no Princípio do Propósito, chega ao Princípio da Promessa com mais chances de fazer seu propósito tornar-se realidade. Não tenha dúvida, essa é uma parte substancial do desenvolvimento de liderança que, embora desafiadora, oferece dez vantagens significativas. Quando vistas em conjunto, essas vantagens tornam-se catalisadores da realização de um trabalho transformador e da criação de um *mindset* de paixão, inovação e crescimento.

1. Clareza

O principal benefício de se ter um propósito definido e imperioso é que você sabe o que é importante e por que é importante. Isso não é pouco. Não há dúvidas de que os líderes mais bem-sucedidos com os quais trabalhei têm clareza quanto aos fortes motivos de fazerem o que fazem. Eles encontraram a grande ideia e trabalham incansavelmente para torná-la realidade. Isto lhes oferece um panorama claro do lugar para onde estão indo, além de proporcionar também o foco para colocar suas ideias em prática.

2. Controle

Se tiver um propósito claro, você terá também um controle maior. Não sobre o que acontece com você, mas sobre a forma como escolhe responder ao que acontece e ao tipo de vida profissional que deseja ter. Quando líderes trabalham para articular o que amam, o que têm talento para fazer e os valores que criam, eles estão levando a cabo os aspectos mais importantes da liderança. Com um propósito atraente, você aumenta sua sensação de controle, pois sua vida profissional deixa de ser determinada pelos desejos e ordens dos líderes seniores de sua empresa. Você passa a ser o condutor, e não mais o passageiro, de sua vida profissional – e ruma a um destino que vale a pena.

3. Consistência

Para serem consistentes, os líderes precisam saber o que querem fazer e quando é importante que seja feito. Nas primeiras seções deste livro, você teve a oportunidade de articular o que acredita ser mais importante para você e o que não está disposto a deixar incompleto. A inconsistência surge se – e esse é um grande se – você não acredita completamente em seu propósito e faz promessas extenuantes. Reivindicar seu propósito coloca uma bandeira com o sinal: "Até aqui e não além daqui". Você está abandonando os dias de equívocos e passos em falso e intencionalmente se comprometendo a fazer o que diz que fará. Você liderará de forma mais consistente se tiver uma articulação clara daquilo em que acredita e daquilo que defende.

4. Comprometimento

Há uma diferença enorme entre comprometimento e *compliance*. *Compliance* diz respeito a se fazer algo se você quiser fazer e quando estiver disposto a fazê-lo. Quando um colega recebe uma ordem para terminar um relatório, a resposta pode ser: "Bem, sim, isso precisa ser feito. Mas, como você sabe, minhas férias estão chegando e logo depois meus filhos voltam às aulas e eu estou dando um novo curso na igreja". O comprometimento, por outro lado, é bastante diferente. Uma resposta comprometida à ordem anterior seria algo como: "Sim, o relatório é muito importante e vou entregá-lo na sexta até a hora do almoço". Quando você escreve seu propósito de liderança, está de inúmeras formas escrevendo sua declaração de independência da liderança. É algo que você, como os fundadores dos Estados Unidos, fará de forma decisiva. Seu propósito é um compromisso de viver uma vida resoluta em vez de uma vida fortuita.

5. Credibilidade

As pessoas prestam atenção ao que você diz e ao que você faz. Qualquer lacuna entre suas palavras e suas ações leva as pessoas a questionarem suas intenções, sua sinceridade e sua credibilidade. Líderes revolucionários reconhecem que o que eles dizem importa e esforçam-se para criar promessas claras sobre o que se pode esperar deles – não apenas para benefício próprio, mas de todos os envolvidos. Quando têm uma atitude consistente, os líderes revolucionários aumentam sua credibilidade, o que leva ao aumento da eficácia da liderança e do desempenho organizacional.

6. Confiança

É contraditório, mas sua confiança como líder aumenta consideravelmente não quando você vê os benefícios da realização de seu propósito, mas quando acredita nele a ponto de poder dizer sem hesitar: "Isso é o que quero e é o que vou alcançar". Você já deve ter ouvido a tolice que vários líderes vivem repetindo: "Só acredito vendo", não é mesmo? Pois os líderes revolucionários não pensam assim. Eles adotam uma perspectiva diferente, oposta mesmo, e dizem: "Só vejo acreditando". Não se trata de uma ingenuidade cega da parte de tais líderes. Sim, eles reconhecem que o sexto princípio da liderança transformadora, o Princípio da Perseverança, é essencial para a obtenção de resultados revolucionários. Mas eles também sabem com certeza que se seus *mindsets* e os daqueles ao seu redor forem hesitantes e inseguros, a probabilidade de alcançarem resultados revolucionários é definitivamente menor. Em contrapartida, eles não confiam na realização irrestrita, mas na incondicionalidade de que haja um propósito atraente e um processo replicável para o alcance de resultados inéditos.

7. Coletividade

Um propósito convincente de liderança atrai líderes, colegas e parceiros que pensam da mesma maneira. Com todas as vantagens listadas aqui, os líderes que agem segundo um propósito claro compartilham o que é importante para eles e tornam-se ímãs para outros que aspiram criar o mesmo tipo de experiência para si e para os outros. O comportamento e as crenças de tais líderes são magnéticos para outros que possuem expectativas, sonhos e aspirações similares e, juntos, eles criam uma coletividade fundamentada em ambições partilhadas. Coletividades de colaboradores que pensam da mesma maneira tornam-se espaços de inspiração, aspiração e crescimento acelerado para todos os envolvidos.

8. Confiança

Para muitos líderes, o nível de confiança que demonstram após esclarecerem seus propósitos cresce exponencialmente. De um propósito claro resulta também uma forma lúcida, comprometida e confiante de falar a verdade com relação ao que o líder quer, à forma como agirá para tornar isso real e ao ponto que, como líder, ele está estabelecendo como marca a ser alcançada. Os propósitos ampliam o diálogo pois, quando líderes revolucionários acreditam fortemente no propósito que têm, eles são impelidos a diariamente dizer e fazer algo para alcançá-lo.

9. Colaboração

Para ter propósitos claros, os líderes precisam esclarecer o que amam fazer e quais são os talentos e as habilidades que usam de formas diferenciadas. Eles sabem o valor que criam e não sentem mais uma grande necessidade de se provarem para os outros. Ter isso em mente permite que os líderes fiquem mais à vontade com sua liderança e, por sua vez, inspira as pessoas a compartilhar o que elas amam fazer e fazem bem. O nível de competição interpessoal cai e o nível de inovação e crescimento sobe. Não há dúvidas de que os líderes revolucionários sabem que em inúmeras situações duas cabeças pensam melhor do que uma. Quando você trabalha o Princípio dos Projetos e o Princípio da Persuasão, aprende como escolher as cabeças com as quais quer trabalhar em seus projetos.

10. Coragem

A palavra coragem vem do vocábulo francês *cœur*, que significa "coração". A primeira coisa que perguntei no processo de articulação de seu propósito foi: "O que você ama fazer?" – em resumo, o que está no centro de seu trabalho e que você não está disposto a deixar incompleto? Sua resposta, pois, está no cerne de sua liderança. Mesmo assim, a coragem não significa que o medo foi eliminado e que você jamais terá de empreender atos de coragem. Pelo contrário, o ato mais corajoso que você terá de praticar diariamente é escolher viver com base em seu propósito ou, do contrário, permitir que problemas e demandas de seu trabalho ditem seu comportamento. Com um propósito claro e atraente, as reservas de coragem que encontrará em sua liderança vão impressioná-lo. Você pensará mais amplamente, estabelecerá objetivos mais competitivos e amará a transformação de seu *mindset* e o impacto disso tanto em si mesmo quanto nos outros.

Você certamente já experimentou algumas dessas vantagens apresentadas. A maioria dos líderes com os quais trabalho quer vivenciá-las. E quem não quer, não é mesmo? Mesmo assim, a clareza de suas perspectivas permanece vaga por uma única razão: eles não reservaram um tempo para pensar no que amam fazer, no que são capazes de fazer de uma forma diferente e em como eles facilitam a vida das pessoas.

O ponto de partida para alcançar os resultados revolucionários é o Princípio do Propósito, e estabelecer prioridades para sua liderança sem um propósito claro e atraente é a receita para grande frustração e baixo desempenho. Antes de virar a página e estabelecer suas prioridades, pare para pensar e responda à seguinte pergunta: meu propósito é importante o suficiente a ponto de eu estar disposto a fazer promessas não negociáveis para meus principais parceiros e, ademais, incluir em meu calendário prioridades novas e imperiosas? Se a resposta for sim, você vai adorar a próxima seção. Se a resposta for não, revise o Princípio do Propósito e tente encontrar a ideia que o está impedindo de dar um passo adiante. Isolar uma ideia, sonho, expectativa ou aspiração torna-se um dos acontecimentos mais entusiasmantes, libertadores e revolucionários que você pode vivenciar como líder.

QUANDO TUDO É PRIORIDADE, NADA É PRIORIDADE

O que é uma prioridade? A palavra prioridade deriva do vocábulo anglo-normando *priorie*, que significa "ancião ou superior de uma ordem religiosa". Um priorato é um pequeno monastério ou convento governado por um prior (abade) ou por uma prioresa (abadessa). No mundo atual, uma prioridade é algo governado por uma ordem superior. Nesta seção, vou demonstrar que suas maiores prioridades são mais bem extraídas quando derivadas de propósito e de suas promessas. O objetivo, portanto, é extrair de forma deliberada e não acidental o que é mais importante de seus princípios.

Como alguém que lutou para estabelecer prioridades, posso dizer por experiência própria que tentar fazê-lo sem ter uma ideia clara de meu propósito ou das promessas que fazia era um erro tolo. Eu estabelecia prioridades com base no objeto mais brilhante em minha frente quando estava apaixonado pela novidade de uma ideia e suas possibilidades inerentes. Acreditava que todas as minhas prioridades poderiam ou deveriam ser implementadas imediatamente, mas faltava-me a habilidade para discernir a importância relativa que cada prioridade tinha e, consequentemente, estabelecê-las de forma mais clara e significativa.

A menos, obviamente, que houvesse dinheiro envolvido. Durante uma grande parte de minha vida profissional, a prioridade número um era ganhar dinheiro, ter sucesso e progredir na carreira. Essa era minha prioridade oficial. E, dessa forma, eu colocava no centro de meus negócios transações que fossem financeiramente recompensadoras. Claro que a recompensa financeira não é ruim, mas o problema é que eu a levava ao extremo. Meu *mindset* estava enraizado em pobreza e me levava a procurar formas de melhorar meu bem-estar financeiro o mais rápido possível. Isso significava que minha situação econômica era uma prioridade acima do bem-estar dos outros, de minha saúde e de minhas relações pessoais. Não me orgulho de dizer isso, mas eu era descontroladamente apegado ao dinheiro.

Seu *mindset* também dá forma a suas prioridades. Imagine ficar sem comer durante três dias. Todos nós concordamos que a comida se transformaria em uma prioridade e os exercícios iriam para o fim da lista. Se você ficou fora do mercado de trabalho durante dois anos e tirou seus filhos da faculdade porque não tinha condições de arcar com as mensalidades, é claro que ter um bom pagamento é uma prioridade para você e que o amor pelo que faz ficará em segundo plano.

A maioria de meus clientes não tem a próxima refeição ou o salário do mês como prioridade. A sua prioridade é cumprir a lista de afazeres. Eles se tornaram, como certa vez ouvi alguém dizer, referindo-se a nossa vida corporativa, "máquinas em vez de seres humanos". Foram tão absorvidos pelo ato de marcar como feita uma tarefa que não conseguem sequer enxergar se ao menos essas listas contêm as prioridades certas.

A boa notícia é que o maior esforço não é a resposta para um melhor estabelecimento de prioridades. O que é preciso é um distanciamento maior, uma visão mais clara e uma determinação implacável de dizer sim a atitudes diárias que estejam alinhadas com seu propósito e com suas promessas. A maioria dos líderes está dizendo sim a uma lista de prioridades que só faz crescer – prioridades que eles provavelmente jamais serão capazes de realizar por causa da limitação de tempo e de recursos.

Sim, esforço é fundamental em algumas circunstâncias, mas o que os líderes mais precisam é de coragem e confiança para estabelecer regras claras para aquilo a que vão dizer sim e para aquilo a que vão dizer não. Sem tais atributos, os líderes sentem que estão ficando para trás. Eis dois processos rápidos e fáceis para colocar em prática sua definição de prioridades.

Maior distanciamento

Para ver com clareza quais prioridades estabeleceu, revise sua agenda das últimas quatro semanas e responda às seguintes perguntas:

1. Com meu propósito claramente em vista, será que posso dizer com confiança que, se alguém revisasse minha agenda, saberia o que é realmente importante para mim? Se sim, por quê? Se não, quais seriam minhas prioridades na visão dessa pessoa?
2. Com base em como e onde estou gastando meu tempo, quais promessas valorizei e quais ignorei?

Visão mais clara

A seguir, você encontra uma breve lista de cinco perguntas que tratam de suas habilidades de estabelecimento de prioridades.

1. **Quantas prioridades você tem?** Mais do que cinco? Se a resposta for sim, significa que são muitas – principalmente se todas elas forem vitais.
2. **O que é, no seu entendimento, uma prioridade?** Qual é a primeira coisa em que você pensa quando acorda e qual é a que o preocupa mais quando vai dormir? Tudo que fica martelando em sua cabeça repetidamente é uma prioridade para você. É um resultado, uma promoção, um aumento, o sindicato, a gerência ou o aumento de lucros? Seja o que for, o que está sempre em sua mente está se tornando uma prioridade para você.
3. **Seus clientes são uma prioridade?** Se seus clientes tivessem de responder se acreditam que são uma prioridade de sua empresa, você acredita que a resposta seria um retumbante "sim"? Não um sim insosso, mas um retumbante "sim". Se sua resposta para esta pergunta for sim, por que acha isso? E quais prioridades você deve continuar tendo, deixar de ter ou começar a

ter de modo a manter esse sucesso? Se sua resposta for não, o que precisa tornar-se uma prioridade de modo a corrigir isso?

4. **Seus funcionários são uma prioridade?** Se seus funcionários tivessem de responder se acreditam que são uma prioridade de sua empresa, você acredita que a resposta seria um retumbante "sim"? Não um sim insosso, mas um retumbante "sim". Se sua resposta para esta pergunta for sim, por que acha isso? E quais prioridades você deve continuar tendo, deixar de ter ou começar a ter de modo a manter esse sucesso? Se sua resposta for não, o que precisa tornar-se uma prioridade de modo a corrigir isso?
5. **Há um alinhamento entre seu propósito, suas promessas e suas prioridades?** Quais são as prioridades de seu chefe/de sua empresa no que concerne à sua pessoa? Essas prioridades estão alinhadas com seu propósito e com suas promessas de liderança?

A verdade é que a liderança eficaz aumenta quando se faz uma escolha rigorosa com relação às prioridades a serem estabelecidas. Este livro pretende demonstrar como estabelecer prioridades com base em seu propósito e em suas promessas e, ademais, como vivenciá-las diariamente. Entretanto, no que diz respeito ao estabelecimento eficiente de prioridades, há duas forças que precisam ser muito bem compreendidas.

A primeira concerne às forças opositoras que o impedem de realizar suas promessas e alcançar seu propósito; a segunda diz respeito às forças incentivadoras. As forças incentivadoras o ajudam a realizar suas promessas e a atingir seu propósito. Vamos observar melhor as duas, mas antes, uma advertência: estabelecer prioridades claras não exige que você pense demais. O processo pelo qual passará a seguir faz o trabalho pesado de esclarecimento daquilo que o ajuda ou o atrapalha na definição eficiente de importância. Confie no processo e procure identificar uma ação que deve tomar, seja para minimizar uma força opositora, seja para acentuar uma força incentivadora. Uma delas trará benefícios.

Sim, eu disse uma ação. Quando transformar em prioridade uma ação diária com o objetivo de crescer como líder, você acelerará seu aprendizado e identificará o que funciona e o que não funciona — e somente então dará o passo seguinte. Você fará isso repetidamente e, consequentemente, crescerá como líder.

ANÁLISE DO CAMPO DE FORÇA

A análise do campo de força é uma ferramenta comumente usada e bastante útil em diversas empresas e organizações. Especificamente, ela ajuda líderes e equipes a identificar quais forças incentivam e quais impedem suas habilidades de completar um projeto ou alcançar um objetivo.

Barreiras opositoras

Quais barreiras estão impedindo o cumprimento de suas promessas? Podem ser pessoas, processos ou a disponibilidade de recursos. Crie a maior lista possível. Para você, enquanto líder, uma análise do campo de força pode ser útil na identificação de fatores que o impedem de alcançar seu propósito. Exemplos práticos são gastar muito tempo com reuniões improdutivas ou fazer parte de muitos comitês e associações fora do trabalho.

Forças incentivadoras

Quais são as forças incentivadoras que podem garantir que suas promessas e seu propósito mantenham a chama acesa e obtenham sucesso? Elas também podem ser pessoas, processos e disponibilidade de recursos. Um exemplo é a paixão pela experiência do cliente ou pelo apoio ao desenvolvimento dos funcionários. Uma análise do campo de força pode ajudá-lo a responder às seguintes perguntas:

1. Qual é a promessa, objetivo ou meta que quero alcançar?
2. Quais são as forças opositoras e incentivadoras de minha promessa?
3. Qual é a prioridade que cada uma dessas forças tem para mim?
4. Quais forças são as mais importantes e precisam ser tratadas imediatamente?
5. Qual é a atitude mais importante que devo tomar?
6. Quando começarei a implementar essas atitudes?
7. Quem vou escolher para ser meu parceiro de controle e quando vou me reunir com ele para discutir minhas respostas?

ESTABELECIMENTO DE PRIORIDADES EM TEMPO REAL

Há um velho provérbio que diz: "Se você falha em planejar, está planejando falhar". No trabalho feito até aqui, você identificou onde suas prioridades alinham-se ou não com seu propósito. Isso leva à seguinte questão: o que fazer agora?

Sem querer simplificar a definição de prioridades e minimizar os problemas urgentes que você tem de enfrentar todos os dias, o passo seguinte mais importante que você pode dar é escolher onde investirá seu tempo e energia para realizar seu propósito. As prioridades demandam tempo e atenção, portanto, saber onde você pretende investir seu tempo e sua energia é importante, especialmente porque, no princípio que será apresentado no capítulo seguinte, trataremos da realização de trabalhos e projetos que sejam revolucionários tanto para você quanto para sua empresa.

Você articulou suas promessas? Consegue enxergar uma ligação clara e direta entre suas promessas e seu propósito? Há uma ou mais promessas que, caso tivesse que realizar mais plenamente, teriam um impacto positivo nas pessoas que mais importam para você? Há alguma promessa que, se transformada em prioridade, trará um sentimento maior de satisfação e bem-estar? Qual passo você dará para tornar isso real hoje? É por aí que deve começar.

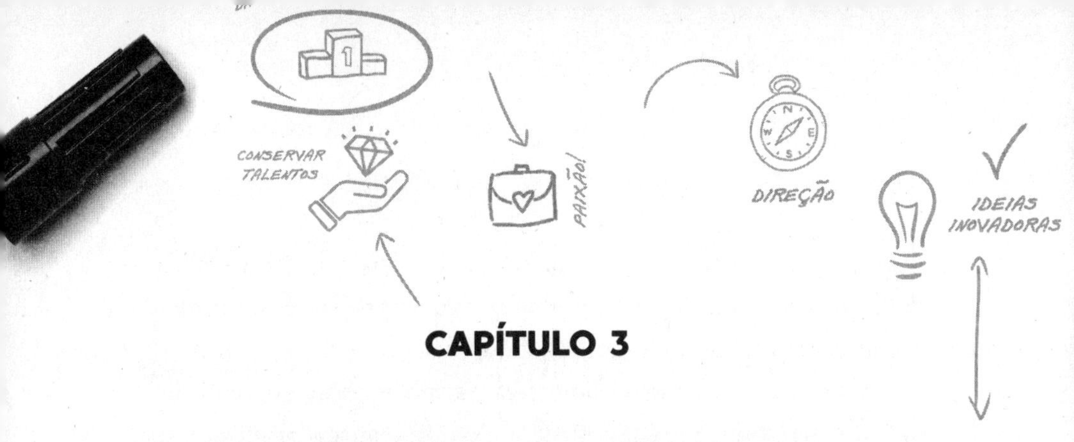

CAPÍTULO 3

O Princípio dos Projetos

PROJETOS COMO EXERCÍCIO PARA O DESENVOLVIMENTO DA LIDERANÇA

Infelizmente, em muitas empresas a palavra projeto cria uma resposta negativa. Muitos projetos são complexos e pesados. Ademais, muitas pessoas sem criatividade e entusiasmo para levar um projeto adiante os veem como sugadores de tempo. E porque sentem-se sobrecarregadas, essas pessoas querem riscar logo o projeto em equipe de sua lista de afazeres e voltar a atenção para coisas que consideram mais importante em seus trabalhos. A percepção, portanto, é de que os projetos são uma perda de tempo e não um veículo para criar um trabalho de alto valor, relevante, agradável e transformador.

Há duas maneiras de se pensar a palavra "projeto". A primeira é como um substantivo, ou seja, um pensamento voltado à gestão de projetos. Tal uso da palavra pertence ao planejamento e concepção de um trabalho de modo a se obter um resultado positivo. Refere-se a um projeto de pesquisa, por exemplo. Os líderes tendem a gostar de pensar os projetos dessa maneira, uma vez que o conceito representa um trabalho importante sendo perseguido e, com as habilidades certas de gestão, o sucesso pode ser alcançado.

A segunda maneira de pensar a palavra projeto é como um verbo, projetar. Nesse caso, a raiz está em uma ideia de extensão, de

projeção, como um filme projetado em uma tela de 15 metros de largura. Entendida nesse sentido, a palavra projeto é sinônimo de ampliação, de ir além de uma fonte de origem.

O terceiro princípio da liderança transformadora está mais ligado à forma como você, enquanto líder, projeta seu propósito, suas promessas e suas prioridades em conversas, reuniões, e-mails e apresentações de sua vida diária. Trata-se, pois, de um convite a conceber e implementar um projeto de desenvolvimento de liderança que projete, no mundo do trabalho e de forma rápida, assertiva e implacável, sua figura enquanto líder.

A imagem que penso ser mais útil para posicionar seu projeto de liderança é a da luz. Pense em dois tipos de luz. A primeira é uma lâmpada de 100 watts usada em um cômodo qualquer de sua casa. A maioria das pessoas pensa na lâmpada em termos de voltagem, mas o que é igualmente importante, talvez mais, é o brilho dessa lâmpada, ou seu lúmen. A lâmpada de 100 watts que fica, por exemplo, próxima de uma poltrona ou sobre uma mesa de trabalho tem aproximadamente 1.600 lúmens.

Compare, agora, com a luz de um cinema drive-in. A luz usada para projetar um filme em uma tela de 15 metros a uma distância de 45 metros deve ter entre 33 e 40 mil lúmens. Quanto mais lúmens, maior é a distância da projeção da imagem.

O mesmo é verdade para seu projeto de liderança. Quanto mais lúmens, ou amor e paixão que você tiver por seu projeto, mais longe e para um público mais amplo você poderá projetá-lo. Mas tanto luzes caseiras quanto luzes de cinema exigem preparativos antes de serem acesas. Nesta seção, você vai se livrar de todas as ideias obsoletas que ainda nutre com relação a projetos e substituí-las pelo tipo de pensamento que é necessário para alcançar o sucesso. Implementar as estratégias a seguir fará com que você obtenha sucesso mais rapidamente e, por conseguinte, mais satisfação. Para que seu projeto de liderança seja transformador, você deverá abraçar cinco estratégias.

Estratégia 1: Pratique pequenos atos

O principal problema em que as pessoas incorrem quando se trata de realizar um trabalho transformador é o fato de elas se deixarem tomar pelo sentimento de urgência e perderem de vista as pequenas coisas que podem fazer hoje para alcançarem um sucesso maior amanhã. Não estou sugerindo que você pense pequeno em relação ao que deseja realizar ou àquilo de que é capaz. O que estou sugerindo é que você precisa praticar pequenos atos diários que, repetidos à exaustão, terão como resultado a realização de seu projeto transformador.

Em meus anos de prática de triatlo, aprendi a pensar em meus programas anuais de treinamento em blocos mensais ou bimestrais. Para um triatlo de meia distância (1,9 km de natação, 90 km de ciclismo e 21,1 km de corrida), eu pensava vagamente na imagem de um triatlo completo e me concentrava nas quatro semanas de treinamento que eu tinha pela frente. Esse processo é chamado de periodização e envolve três semanas construindo a intensidade e a duração de um treino e uma semana de recuperação. A periodização é comprovadamente útil para ajudá-lo a ir mais longe e mais rápido com menos desgaste.

Com projetos de liderança transformadora ocorre o mesmo. Para obter sucesso, pense vagamente na transformação de uma área particular de sua empresa, mas pense firmemente nos pequenos passos que você terá de dar no próximo mês ou bimestre para alcançar essa transformação. Esse processo lhe permite múltiplas vitórias ou sucessos e cria uma maior sensação de urgência e foco.

Estratégia 2: Domine seu *Mindset*

Meu *personal trainer* certa vez me disse que minha aparência física tinha mais a ver com minha alimentação do que com minha rotina de exercícios. Ele me lembrou de que o tempo que eu gasto me exercitando é inútil se minha dieta consiste de bolo de chocolate, batata frita e pizza. Depois, deu um sorriso e disse: "É uma estratégia perdedora querer um abdômen tanquinho comendo assim". Eu não gostei de ouvir aquilo.

Os líderes revolucionários escolhem cuidadosamente os pensamentos que irão permear suas mentes e dominam o diálogo interno que têm consigo mesmos. Narrativas baseadas em negativas do tipo: "Não consigo fazer isso". dão lugar a narrativas do tipo: "Sou inteligente e vou aprender a fazer isso". Não se trata de uma perspectiva de Poliana;[2] tampouco de ver um mundo cor-de-rosa. Trata-se, pelo contrário, de um processo altamente prático, pragmático, de fornecer a seu projeto um pensamento nutritivo que permitirá que ele cresça e tenha sucesso. Se quiser aprender 27 estratégias para realizar isso de forma mais plena, visite meu site www.clarisconsulting.net e faça o download de um material especial intitulado *Mastering Your Mindset*.

Estratégia 3: Cultive um foco implacável

Quando seu projeto de liderança é entusiasmante, é fácil manter o foco, especialmente quando tudo vai bem no trabalho e em casa. Todavia, quando as coisas saem dos trilhos, fica bem mais complicado. É nesse momento que é necessário ter um foco implacável em seu projeto. As demandas de seu cotidiano

---

2 A perspectiva de Poliana (ou síndrome de Poliana) se refere à personagem homônima da obra *Pollyana*, de Eleanor H. Porter, um clássico infanto-juvenil da literatura mundial que conta a história de uma menina que enxerga o mundo "cor-de-rosa", sem aspectos negativos e más intenções. (N. E.)

farão tudo o que podem para desviá-lo do caminho, portanto, você deve ter um motivo atraente e claro para realizar seu projeto de liderança. Você aprenderá outras estratégias no capítulo que se concentra no Princípio da Perseverança, porém, antes de conceber seu projeto de liderança, é importante saber que ele será sabotado e que você encontrará pessoas que vão lhe exigir prioridades que são mais importantes para elas do que para você. É nessa hora que se torna essencial ter um foco implacável e incondicional.

Estratégia 4: Crie um espaço em branco

Vivemos em um mundo hiperconectado. Estamos conectados a nossos chefes, a nossos funcionários e a nossos colegas por meio de celulares e e-mails. Uma pesquisa da Gallup, uma das maiores empresas de pesquisa de opinião dos Estados Unidos, realizada entre abril e maio de 2015, mostrou que 81 por cento dos adultos mantêm o celular sempre ao alcance durante o dia e 80 por cento consultam o aparelho "algumas vezes por hora". Isso faz de você uma pessoa mais reativa do que proativa.

O espaço em branco que sugiro é um período de 15 minutos duas vezes por dia, um antes do início e outro ao final do expediente. Trata-se de um tempo para desconectar e fazer um inventário do que está e do que não está funcionando – com relação à sua liderança, equipe e resultados. Por exemplo, as perguntas que meus clientes se fazem ao final do dia são:

1. Por qual sucesso sou mais grato hoje?
2. O que especificamente fiz para alcançar o sucesso? O que posso fazer para tornar esse sucesso ainda maior e mais satisfatório?
3. O que não consegui realizar hoje?

4. O que especificamente fiz que impediu meu sucesso? Quais padrões ou temas consigo ver que precisam de mais atenção?
5. O que vou fazer diferente amanhã?
6. De que ajuda, se alguma, vou precisar amanhã para ser bem-sucedido?

Estratégia 5: Contrate um *coach*

Não temos como dizer para nós mesmos a verdade nua e crua; tampouco podemos crescer rápida e consistentemente sem a ajuda de um *coach*. A liderança não é uma atividade solitária e os líderes devem ter seguidores para serem eficientes. Além disso, os líderes também precisam de alguém em quem confiem e respeitem para lhes dizer a verdade e oferecer uma perspectiva externa. Por sua vez, *coach*es e mentores podem servir como catalisadores para acelerar a performance. Hoje em dia, atletas, músicos, professores e CEOS têm *coach*es. Esses instrutores são pessoas que falam a verdade e dizem o que você precisa ouvir de formas que você poderá ouvir. Sem uma perspectiva exterior, sempre vamos nos agarrar a perspectivas enviesadas.

Saiba do seguinte antes de seguir adiante: essas cinco estratégias, quando unidas a um projeto que você amaria realizar, garantem o sucesso.

MANTER O FOCO NOS RESULTADOS É UMA ESTRATÉGIA LIMITADORA DA CARREIRA

O primeiro e mais importante passo rumo ao desenvolvimento de um projeto de liderança transformadora é deixar de lado sua metodologia e suas experiências anteriores com projetos. Se fizer isso, quando chegar ao final deste capítulo você terá uma nova abordagem da ideia de projeto. Essa pode não ser uma tarefa fácil, uma vez que somos doutrinados a acreditar que o que realizamos tem uma importância vital e, portanto, é a chave para o sucesso. Entretanto, isso não é verdade.

Durante dez anos trabalhei como consultor financeiro para executivos de alto-escalão do ramo de softwares. Nos primeiros dois anos após entrar no negócio, eu me concentrei principalmente na metodologia necessária para administrar dinheiro com sucesso. Essa não é uma má ideia quando se trata de administrar os ganhos de terceiros, mas meu foco advinha do tempo que eu passava com consultores acadêmicos e conselheiros de investimentos, muito bons de teoria, que juntamente ao departamento de *compliance* trabalhavam para garantir que ninguém fosse processado, especialmente a empresa para a qual eu trabalhava.

O que eu acreditava e projetava para meus clientes era que meu método de administração era tão atraente que ninguém resistia à lógica e, se fosse esperto, iria me contratar. Eu estava tão apaixonado por minha metodologia que acabei não me importando em dar valor àquilo que realmente importava para meus clientes: ajudá-los a alcançar seus principais objetivos financeiros. Para ser franco, eu estava mais interessado nos aspectos comerciais da construção de um currículo do que nos aspectos revolucionários da realização dos sonhos e expectativas de meus clientes.

Após liderar com metodologia e obter um sucesso modesto, aprendi a ter uma conversa baseada em valores que acabou relegando a metodologia a um segundo plano e centralizando o foco no valor de meu cliente. Era um diálogo simples que eu tinha com eles e que começava com a seguinte pergunta: "O que é importante para você quando falamos de dinheiro?". O que aprendi fazendo perguntas baseadas em valor foi impressionante.

Em minha primeira conversa com um casal, o marido (um médico que ganhava milhões por ano) respondeu dizendo coisas importantes como retorno de investimento, redução de taxa de risco, investimento em mercados em queda e escolha dos melhores tipos de investimento. A esposa deu uma resposta completamente diferente, com uma palavra que projetava sua maior prioridade: *segurança*. Durante dez minutos ela me contou como sentia-se insegura porque eles não tinham feito um testamento nem um seguro de vida de que ela fosse beneficiária. Além disso, a residência do casal ainda estava no nome da ex-esposa do médico, mesmo oito anos após o divórcio.

Com lágrimas nos olhos, a mulher disse: "Se alguma coisa acontecer com meu marido, eu vou virar uma sem-teto". O médico disse que aquilo era ridículo, mas para a esposa a realidade estava diante de seus olhos – e estava assim havia oito anos. Sem planejamento e ajuda externa, eles repetiriam o que vinham fazendo durante os últimos oito anos. O que a mulher queria mais do que tudo era uma segurança financeira que eliminasse a incerteza, a apreensão e a angústia associadas à administração do dinheiro do casal.

Eu jamais teria descoberto o que realmente era importante a menos que deslocasse meu foco do que vinha fazendo (metodologia) e o concentrasse na maior das prioridades: os resultados que o cliente desejava alcançar.

Deixemos de papo furado e vamos direto ao ponto: ninguém além dos profissionais da indústria liga para a teoria moderna do currículo ou para sua otimização. O que importa para as pessoas é aquilo que a tese do currículo e sua otimização lhes dá como retorno. Afinal, estas são apenas ferramentas ou meios de usar recursos financeiros para fazer as pessoas sentirem-se mais seguras, felizes e confiantes de que está tudo em ordem em suas vidas financeiras. Será que a teoria moderna e a otimização do currículo podem ajudar as pessoas a alcançar seus objetivos? Naturalmente. Será que todo consultor financeiro está usando ambas como ferramentas para fazer com que seus clientes obtenham sucesso financeiro? Sim, todos.

Entretanto, o que líderes revolucionários sabem é que o que impele alguém a dizer "sim" a suas ideias não são as ferramentas usadas. Você alguma vez na vida perguntou a um dentista qual tipo de broca ele usaria para fazer uma obturação? Alguma vez já perguntou a um mecânico quais ferramentas ele usaria para consertar seu carro? Consegue imaginar contratar um empreiteiro por causa das ferramentas que ele usa? Aposto que nove em dez vezes sua decisão está baseada no nível de confiança e respeito que você tem pelo profissional e se acredita que ele é capaz (ou seja, tem a habilidade) de produzir o resultado que você deseja. No meu caso, quando as pessoas sentiam que eu me preocupava menos com minha metodologia e com o que era interessante e importante para mim e mais com minha meta central de ajudá-las a ter uma vida financeira mais recompensadora e rica, meus ganhos dobraram dentro de um período de 24 meses.

EM QUE VOCÊ DEVERIA FOCAR

Meu argumento é simples: se você é um consultor financeiro, contador, advogado, engenheiro, profissional de TI, RH ou tem qualquer outra profissão técnica, precisa apaixonar-se pelo que faz e apaixonar-se pelo desejo de fazer a vida de seus clientes, consumidores e funcionários melhor depois de eles trabalharem com você. Apaixonar-se por tornar a vida de outrem mais fácil e recompensadora projeta-se, portanto, na tela mental que há na mente de seus clientes e diz algo como: "Essa pessoa pode melhorar a minha qualidade de vida". Para tal mensagem ser recebida, a natureza e o tom de suas conversas precisam mudar de como você faz o que faz para o que é importante para seu cliente. Para compreender a motivação real que as pessoas têm para dizer "sim" a você e a suas ideias, fazer perguntas como as seguintes é essencial.

Resultados

1. Qual é a meta ou o objetivo mais importante que você deseja alcançar?
2. Por que essa realização é importante para você?
3. O quanto a vida seria melhor se você realizasse esse objetivo?
4. Se pudesse estabelecer prioridades concernentes ao que deve ser feito ao longo dos próximos três a 12 meses, o que deve acontecer para que você se sinta bem-sucedido e satisfeito?
5. Qual foi sua experiência ao trabalhar com esse objetivo ou meta anteriormente? O que funcionou, o que não funcionou e o que deve acontecer para que você sinta que obteve sucesso?

Parâmetros

1. O que você gostaria de ver para saber que está progredindo no rumo certo, isto é, em direção a seu objetivo?
2. Qual é o resultado aceitável e qual é o resultado ideal?
3. Quem você gostaria que estivesse envolvido na medição de seu progresso?
4. De que forma especificamente você pretende medir seu progresso?

Valores

1. Qual é o valor pessoal dessa meta ou objetivo?
2. Qual seria a diferença se você fosse extremamente bem-sucedido?

3. O que aconteceria se você fosse completamente malsucedido? Que significado isso teria para você?
4. Quais são os custos pessoais, profissionais, financeiros e emocionais, no momento, de não ter essa meta ou objetivo alcançados?

Perceba que não há nada relativo à forma como faço para ajudar alguém a alcançar o resultado desejado. A única coisa que me interessa é conhecer o máximo possível sobre o que é importante para o outro. Interessa-me saber quais são suas expectativas, seus medos, suas aspirações e seus desejos. Quando sei o que é importante, descubro quais prioridades devem ser adotadas e qual é a melhor maneira de realizá-las.

As questões apresentadas anteriormente servem a dois propósitos. Primeiro, elas o ajudam a descobrir o que é importante para a outra pessoa, assim você pode ajudá-la. Segundo, elas o levam a pensar em um projeto de liderança transformacional próprio. Seu projeto de desenvolvimento de liderança fica claro quando você começa com a pergunta: "Qual é o objetivo mais importante que, como líder, desejo alcançar?". Os resultados para cada uma das questões indicam-lhe um projeto de liderança que integra tudo o que aprendeu até agora. Seu trabalho após responder a essas questões é garantir que seu projeto esteja alinhado com seu propósito, tenha promessas claras e estipule prioridades não negociáveis.

Se sua metodologia estiver em primeiro plano, as expectativas, sonhos e aspirações de um cliente ficarão em segundo plano. Se sua metodologia estiver em primeiro plano, sua liderança será comercial e não transformadora. Será que líderes revolucionários têm um processo e uma metodologia para cumprir um trabalho exemplar? Certamente.

As questões que você vai querer responder após o término da leitura desta seção são as seguintes:

- O que estou projetando enquanto líder?
- Estou levando uma vida com base em um propósito ou ao acaso?
- Estou contribuindo para facilitar ou dificultar a vida das pessoas?

Assim que se apaixonar pelas expectativas, sonhos e aspirações de seus clientes e funcionários, você aprenderá como criar um resultado próspero.

UM RESULTADO PRÓSPERO DEMANDA FUNCIONÁRIOS E CONSUMIDORES PRÓSPEROS

Reserve um momento para pensar a respeito da palavra *prosperidade*. A definição desta palavra, em sua forma verbal, diz o seguinte: "tornar-se afortunado, enriquecer, dar/ter bons resultados, melhorar, ser produtivo, desenvolver-se, ser favorável, correr bem, adiantar-se, progredir".

Agora, pense: será que você está dando/tendo bons resultados, prosperando, sendo produtivo, progredindo? E será que seus funcionários estão dando/tendo bons resultados, prosperando, sendo produtivos, progredindo? E seus clientes/consumidores, estão tendo bons resultados, prosperando, progredindo após trabalharem com você? Será que as respostas de seus funcionários seriam parecidas com as suas? E quanto a seus clientes?

Minhas experiências com meus clientes mais bem-sucedidos mostram que os seus níveis pessoais de prosperidade, excelência, coragem e movimentos arrebatadores são transmitidos aos funcionários de forma regular, sem sobressaltos. Quando os líderes não estão progredindo, florescendo, não há possibilidade de os funcionários progredirem, florescerem. E todos nós sabemos o resultado disso com os consumidores.

Quando os funcionários estão simplesmente sobrevivendo, e são, portanto, improdutivos e comprometidos apenas com o *status quo* e não com a excelência, eles serão reticentes (ou até mesmo rancorosos) com relação à ideia de prosperidade do cliente/consumidor. Quando os líderes não estão progredindo, eles não podem ser exemplos e catalisadores da prosperidade e do florescimento daqueles ao seu redor.

Trata-se de um prisma simples através do qual os líderes revolucionários veem seu papel e sua responsabilidade. Eles veem o trabalho através do que chamo "A Fórmula da Performance Próspera", que se divide em três partes fundamentais:

1. **O trabalho de um líder é garantir a concepção, criação e implementação de experiências prósperas para os clientes.** Você saberá que alcançou esse objetivo quando os consumidores voluntária e repetidamente usarem seus produtos e serviços mesmo diante do aumento de preços. Saberá quando notar que seus clientes estão indicando novos consumidores. Testemunhará coisas como um telefonema em que você ouve: "O CEO da empresa X me disse que eu precisava falar com você". E esses não serão comentários pontuais, pois resultados desse tipo acontecem repetidamente quando os clientes têm experiências prósperas. Você verá também consumidores não apenas permanecendo abertos e receptivos a suas novas ideias e produtos, mas também pedindo conselhos antes de tomarem uma decisão ou realizarem algo.
2. **O trabalho de um líder é garantir a concepção, criação e implementação de experiências prósperas para os**

funcionários de modo a alcançar a parte 1. Você saberá que alcançou esse objetivo quando os funcionários voluntária e entusiasmadamente discutirem formas de criar excelência nas experiências dos consumidores. Para isso, você verá experimentação, aprendizado e crescimento contínuos unidos ao aumento dos níveis de responsabilidade. Celebra-se continuamente um trabalho bem-feito por todas as equipes e por todos os membros dessas equipes. Ademais, há um aumento do compromisso geral em fazer a vida do cliente e do funcionário mais fácil e recompensadora.

3. **O trabalho de um líder é garantir a prosperidade pessoal de modo a criar as partes 1 e 2.** O fruto não cai longe do pé. Se você enquanto líder deseja conduzir uma revolução empresarial, não pode fazê-lo sem que antes uma revolução de liderança ocorra. Se deseja mais responsabilidade e compromisso, será que está sendo exemplo desses aspectos? Se sabe que superar sucessos passados é essencial para a realização de novas conquistas, será que as pessoas veem em você uma pessoa que vive dos louros alcançados? Será que você, enquanto líder, está em contínuo estado de aprendizado, crescimento, superação, alta produtividade, prosperidade (não financeira apenas)? Será que está vivendo uma vida próspera, florescente e destemida? Se a resposta for não, é uma hipocrisia exigir isso dos outros.

A simplicidade desta fórmula pode parecer básica demais para sujeitos que frequentaram ou frequentam cursos de MBA sofisticados e caros, e pode ser facilmente rejeitada. Mas em se tratando de liderança, e especialmente no que concerne à ideia de prosperidade de clientes e funcionários, os líderes que relegam a segundo plano o florescimento humano fazem isso por sua própria conta e risco.

Antes de ler o parágrafo seguinte, classifique-se em uma escala de 1 a 5, sendo 5 a mais alta manifestação de florescimento e 1 a mais baixa, com relação a três questões fundamentais. Se obtiver 3 em qualquer uma delas, qual é a probabilidade de você propiciar uma classificação mais alta do que essa para seus funcionários e clientes? Muito baixa.

Há dois pontos centrais a serem enfrentados neste capítulo. O primeiro é que um foco no florescimento do consumidor e do funcionário irá não apenas aumentar sua performance, mas aumentar drasticamente seu nível de satisfação pessoal com o trabalho. Em segundo lugar, quando um líder deseja transformar sua empresa, é necessário que haja, antes disso, uma transformação da liderança pessoal. Garanto que minha experiência com líderes de sucesso revela que o propósito, as promessas e as prioridades de um líder podem ser um divisor de águas e, de fato, revolucionar suas vidas e levá-los a seu florescimento e prosperidade. Quando você integra todo o trabalho que vem fazendo até este momento à ideia de desenvolvimento, alcança os resultados que são descritos como "revolucionários" pelas pessoas que mais importam para você tanto no âmbito pessoal quanto no profissional.

POR QUE O FLORESCIMENTO ESTÁ EM FALTA?

O florescimento está em falta simplesmente porque há uma queda de padrões. Os clientes acostumaram-se a linhas aéreas que frequentemente atrasam os voos e ignoram a frustração dos passageiros; já se acostumaram a esperar que os bancos e outras instituições financeiras preocupem-se mais com o bem-estar financeiro da instituição do que com o do cliente. (O escândalo que envolveu a Wells Fargo em 2016 é um exemplo disso.) Ademais, a narrativa política americana degradou-se até chegar a pontos até então inimagináveis. Toda eleição presidencial desde a fundação de nossa república é polêmica e desagregadora. Em 1800, quando Thomas Jefferson e John Adams enfrentaram-se (um era o presidente em exercício e o outro, o vice), a disputa eleitoral foi tão nefasta que, após as eleições, o Congresso aprovou a 12ª Emenda, que proibia que o candidato que tivesse o segundo maior número de votos fosse eleito vice-presidente. A política tem e provavelmente continuará a ter uma narrativa comum: todos os candidatos são uma barreira para o florescimento dos Estados Unidos, todos são incompetentes como líderes e, se eleitos, os Estados Unidos vão por água abaixo.

A experiência negativa associada a padrões baixos tornou-se tão presente que vários consumidores simplesmente esperam ser desapontados, esperam pela mínima frustração de suas expectativas como prova de que as empresas pouco se importam com eles. Os consumidores estão calejados, cansados e desconfiados. Isso significa que as empresas precisam criar novas experiências que contra-ataquem esse *mindset* prevalecente. Todavia, muitas vezes os funcionários têm a mesma sensação, de modo que parece que um *mindset* de vitimização se enraizou em todos os cantos da sociedade americana. Os líderes estão enfrentando turbulências de proporções nunca vistas antes na história deste país e tais perturbações começam na mente tanto dos funcionários quanto na dos consumidores.

O florescimento é uma questão que concerne diretamente ao *mindset* – *mindset*, portanto, é uma palavra fundamental. Venho estudando o *mindset* há mais de 20 anos e descobri que a mentalidade supera o conjunto de habilidades e é o diferenciador crucial de meus clientes mais bem-sucedidos. Pode parecer inútil para os praticantes da liderança servidora, mas acredito que a primeira tarefa de um líder é florescer (quer dizer, prosperar) pessoal e profissionalmente para que possa se tornar um exemplo para os outros. Longe de mim querer com isso fazer uma defesa de atitudes egocêntricas, narcisistas, gananciosas e egoístas. Trata-se, na realidade, do reconhecimento de que os líderes que florescem com a intenção de permitir que os outros floresçam são um ímã que atrai resultados de fato transformadores e revolucionários.

RECOMENDAÇÕES

O florescimento requer que você abrace três *mindsets*: o do cliente próspero, o do funcionário próspero e o da liderança próspera.

1. Abrace o *mindset* próspero dos clientes

Os líderes que criam resultados transformadores têm clareza com relação ao *mindset* que querem que seus clientes e/ou consumidores tenham após fazerem negócios com eles. Tais líderes pensam e articulam com clareza o que cada um de seus clientes sente, pensa, conhece, acredita e faz e transformam essas experiências desejadas em experiências projetadas. Foi mais ou menos isso o que Walt Disney fez quando abriu seu primeiro parque temático. Juntamente com sua equipe, ele pensou em cada aspecto da experiência de um cliente e projetou a satisfação em cada passo. Não havia sequer um prédio, passeio ou experiência que não fosse minuciosamente coreografado. Os líderes revolucionários fazem a mesma coisa.

Como os consumidores se sentem após a realização de uma experiência de negócios ou de uma transação com sua equipe e/ou empresa? Será que se sentem empoderados, inteligentes, espertos, parte do todo, eficientes etc.? Você tornou a vida deles mais fácil? Faça uma lista das três experiências mais importantes que você quer que um cliente seu tenha com você e com sua empresa. Em seguida, peça a três de seus melhores clientes que digam três palavras que melhor descrevam a experiência que têm com você. É igual, parecido ou nada parecido com aquilo que você projetou? O que você aprenderá na próxima seção é essencial para uma empresa florescente e próspera. Portanto, reserve um tempo para responder às perguntas de seu ponto de vista e, em seguida, converse com um cliente.

2. Abrace o *mindset* próspero dos funcionários

Você já deve ter sido advertido de que jamais se obteve um cliente feliz de um funcionário infeliz. Há uma série de motivos de você porventura ter funcionários infelizes, mas os dois principais são: ou você os herdou assim, ou os criou assim. Em ambos os casos, os líderes devem fazer algo para reverter a situação.

Durante um voo, ouvi duas comissárias discutindo, na copa da aeronave, seus novos contratos. Como apenas duas fileiras nos separavam, o sarcasmo e a negatividade eram palpáveis, e as cinco horas e meia de voo em que fiquei exposto ao mau humor daquelas comissárias foram tão terríveis que agora, sempre que possível, uso outra empresa aérea.

Qual *mindset* você quer que seus funcionários transmitam para seus clientes? Quer que seus funcionários sintam que a experiência do cliente deva ser próspera? Quer que o vejam como confiável, persistente, honesto, visionário ou estratégico? O que quer que seus funcionários saibam que você defende? Quando pensa na experiência de seus clientes e no *mindset* necessário para seus funcionários a criarem, o que precisa ser colocado no lugar certo imediatamente?

Os líderes têm muito claro o tipo de *mindset* que seus funcionários devem ter para criar, no cliente, o *mindset* desejado. Com isso, quero dizer que os líderes são bastante específicos a respeito de comportamentos, atitudes e processos de pensamento que um funcionário cultivará para criar a experiência ideal do cliente. Sem esse nível de clareza, os funcionários estarão guiando na neblina e é possível que se desviem da rota e levem junto seus clientes.

3. Abrace o *mindset* próspero de liderança

É uma tolice pensar por um momento que seja que os *mindsets* dos funcionários e dos clientes ganharão vida nas mãos de um líder que, em seu âmago, está morto para a ideia de experiências prósperas. Pense, por exemplo, na palavra inspiração. Essa palavra deriva do latim *inspire* e significa "soprar vida em algo". Para soprar vida em algo, é preciso, que antes de tudo, haja vida dentro de você. Dizendo de forma bastante simples, você não pode fazer uma respiração boca a boca se está morto.

Se está convencido de que o florescimento é o ideal para seus clientes e funcionários, a próxima seção, que trata do desenvolvimento da liderança, irá oferecer um panorama que o ajudará a ver seu projeto de liderança como um laboratório para o desenvolvimento e para a prosperidade.

NÃO SE TRATA DO QUE VOCÊ SABE, MAS, SIM, DO QUE VOCÊ PODE ENSINAR

Muitas vezes, os líderes se sentem sobrecarregados pelas exigências do cotidiano de seus trabalhos e, por sua vez, desconectam-se do ideal de ter funcionários prósperos e fazer o melhor trabalho possível. Eles adoram a ideia de ter colaboradores evoluídos e um resultado florescente, mas não se envolvem ativamente com um projeto de liderança que torne isso viável.

Por que isso acontece? Muitos dos líderes que conheci em empresas queriam fazer um bom trabalho, fazer a diferença, mas eram sobrecarregados por suas listas de afazeres, comportavam-se de modo excessivamente comercial e perdiam de vista aquilo que alimenta o entusiasmo dos funcionários em exercer o melhor trabalho possível. Esses líderes permitiam que sujeitos pessimistas e desanimados transformassem seu pensamento de possibilidade em pensamento de probabilidade.

A verdade sobre a liderança é que líderes fortes se tornam líderes revolucionários; líderes que querem fazer o melhor trabalho possível e que querem que os outros façam o melhor trabalho possível cercam-se de funcionários revolucionários. Os líderes desse tipo não se intimidam frente a funcionários inteligentes, espertos e bem-intencionados. Pelo contrário: eles são estimulados a escolher os melhores.

Líderes revolucionários reconhecem amplamente que funcionários revolucionários precisam de (e buscam por) oportunidades para aprender, crescer e expandir tanto seu conjunto de habilidades quanto seu *mindset*. Eles nunca se contentam em simplesmente manter o *status quo*. Quando o ritmo de trabalho se torna demasiado repetitivo e os resultados, previsíveis, os funcionários revolucionários criam novas oportunidades onde estão ou vão buscá-las em outro lugar.

Líderes fracos, por outro lado, cercam-se de funcionários fracos. Líderes fracos sentem como se tivessem de impedir que os funcionários os superem, pois temem ser desmascarados pela equipe. Líderes fracos, portanto, cercam-se de pessoas que estão satisfeitas onde estão e menos interessadas em aprender, crescer e inovar.

Deixe-me ser claro: seu projeto de liderança irá ajudá-lo a implementar o que você aprendeu de modo que possa tornar-se um líder forte e revolucionário. Seu projeto é a primeira ferramenta que usará para internalizar tudo o que aprendeu enquanto ilumina o caminho para que outros funcionários o sigam.

Vale a pena dizer de novo: com um propósito atraente e íntegro, promessas claras e prioridades estratégicas que ajudem-no e a seus funcionários a darem o melhor de si, seu projeto de liderança o auxiliará não apenas a alcançar os resultados que busca nos negócios, mas também fará uma diferença positiva na vida dos colaboradores. Isso, por sua vez, tem impacto benéfico na vida de seus clientes. Ao ajudar seus funcionários a terem uma vida mais recompensadora e enriquecedora, seu projeto será transformado e deixará de ser monótono e desgastante para se tornar algo valoroso e importante.

Dois líderes fortes e revolucionários transformaram meu modo de pensar quando eu era jovem e prepararam o terreno que permitiu que eu fizesse o meu melhor. O primeiro foi um treinador de atletismo que tive na escola, David Litton. Durante uma aula de Educação Física, ele me viu vencer o *running-back* do time de futebol em três *sprints*. Enquanto o técnico do time de futebol viu em mim um garoto magricela sem talento ou interesse em futebol, uma potencial ameaça de constrangimento ao astro do seu time, o treinador Litton viu algo diferente. Ele viu em mim um talento natural para correr e projetou um sucesso parecido com aquele dos jogadores de futebol, mas em um esporte que usava meu potencial. Quando me convidou para fazer parte da equipe de atletismo, o treinador Litton me treinou física e psicologicamente para ser um atleta que brilhasse por conta própria. Ele investiu seu tempo para me ajudar a ser a melhor versão de mim.

Billie James, a psicóloga da escola, reconheceu a dificuldade que eu tinha com os estudos, com os amigos e com a família. Uma madrugada, ela acordou pensando e mim e no que poderia fazer para me ajudar a enfrentar esses desafios. Às 3 da madrugada ela me escreveu uma carta de cinco páginas falando sobre a força e bondade que via em mim. A carta chamava-se "Valorizando Hugh". Billie acreditava em mim e via talentos e habilidades que eu mesmo não conseguia enxergar. Ela foi além do que eu pensava ser a fronteira tradicional de um psicólogo escolar e deixou uma marca indelével em minha vida pessoal e educacional.

Tanto David quanto Billie incutiram em meu pensamento a confiança necessária, a expectativa e o otimismo que me faltavam. Trinta e cinco anos depois, as sementes plantadas por David e Billie têm raízes profundas. Com eles aprendi que se preocupar é o primeiro passo para mudar o modo como uma pessoa pensa. Se eu não sentisse que David e Billie se preocupavam comigo, eu não teria sido receptivo às ideias que eles tinham sobre minhas possibilidades e talentos.

Em nossa vida fragmentada e ocupada, temos a mesma escolha de Billie e David: lançar luz naquelas áreas que permanecem escurecidas para novas possibilidades, plantar sementes de esperança onde há desespero e nutrir o otimismo onde há incerteza e medo. Se fizermos essas coisas, há um aumento significativo no bem-estar de uma pessoa e em sua determinação de se esforçar na busca de um potencial novo e maior. No momento em que as sementes do otimismo e da esperança são plantadas no mundo do trabalho, o potencial para o aumento da produtividade e dos lucros aumenta proporcionalmente.

Como você pode fazer o mesmo? Assim como Billie e David me impactaram positivamente, você também pode influenciar as pessoas. Para tanto, é preciso ter em mente cinco atitudes cruciais:

Escutar. Billie e David escutavam para compreender e não simplesmente para responder. Eles interrompiam quaisquer julgamentos sobre o que eu dizia e estavam completamente presentes para meus medos, esperanças, reclamações e preocupações. Todo jovem quer saber que é ouvido e compreendido. Claro, nossos pais nos escutam e querem o melhor para nós, mas muitas vezes, na esperança de nos tornarem fortes, eles escutam para responder e não para compreender. Com Billie e David, muitas vezes eu saía das conversas me sentindo valorizado, importante e ouvido.

Integridade. David e Billie alinhavam seus valores a seus comportamentos. John Wooden, um famoso treinador de basquete do time da UCLA, certa vez disse: "O esporte não constrói um caráter, mas o revela". Essa citação foi mais tarde modificada e aplicada ao contexto da liderança: "A adversidade não cria um caráter, mas o revela". Quando penso em como Billie e David agiram comigo, posso sem dúvida ver um alinhamento entre o que eles diziam e o que faziam; havia uma coerência e eu os via como pessoas confiáveis e francas.

Generosidade. Billie e David eram pessoas generosas. Em seus papéis, ambos tinham que cuidar de vários jovens e, ainda assim, encontravam tempo para permitir que cada um deles soubesse que era importante e valorizado. No meio de tudo o que tinham de fazer, eu jamais senti que estavam com pressa quando conversava com eles. Não creio que eles pensassem nisso como generosidade – eles simplesmente estavam agindo naturalmente. E no meio da generosidade que tinham para comigo, eu também aprendi a ser generoso. Aos 12 anos eu não chamava isso de gratidão – eu chamava de "legal".

No encontro de ex-alunos 30 anos depois, conversei com Billie e expressei minha gratidão pela carta que ela me escrevera. Ela não se lembrava da carta, mas ficou emocionada com aquilo que chamou de "lembrança generosa". Minha conversa com Billie foi transformadora para mim. Eu vi, talvez pela primeira vez, como ao longo de toda uma vida uma carta ou conversa pode exercer um impacto positivo em uma pessoa. A generosidade de Billie plantou em mim uma semente de altruísmo que cresce até hoje.

Conexão de coração a coração. David e Billie construíam relações baseadas no amor, no cuidado e na ressonância emocional. Eles genuinamente preocupavam-se com seus alunos e viam as esperanças, sonhos e aspirações de cada um deles como objetos frágeis e dignos de sua atenção. E deliberadamente plantaram a semente da coragem em mim e cultivaram a crença de que, com foco, trabalho duro e disciplina, minhas expectativas, sonhos e aspirações eram possíveis.

Dizer a verdade. Billie e David não eram condescendentes. Eles diziam o que eu precisava ouvir, mas de uma maneira que eu conseguisse ouvir. Olhando em perspectiva, penso que eles eram mestres da comunicação. Conheci pessoas que dizem ser "brutalmente honestas" e acreditam que isso seja uma virtude. Descobri que essas pessoas colocam mais brutalidade do que honestidade em suas falas, mas isso se deve ao fato de a mensagem que passam funcionar para elas e não para aqueles com quem elas estão conversando. Dizer a alguém algo que precisa ser dito, mas de uma forma que a mensagem possa ser ouvida, envolve um desejo de generosidade, um alinhamento de atitude e valores, assim como a escuta ativa do outro – somente assim é possível saber qual é a melhor forma de conversar.

Na verdade, é bastante simples: performance, inovação, crescimento e comprometimento deterioram quando os líderes perdem de vista seu papel de fazer uma diferença positiva na vida daqueles que lideram ou gerenciam. Para se alcançar um considerável aumento na performance, inovação e colaboração em sua equipe e empresa, é preciso que haja a meta generosa de se lançar luz em todas as suas interações. Ao fazer isso, você transformará as expectativas e aspirações de seus funcionários em algo real e tangível.

DISSEMINANDO A EXCELÊNCIA EM TODA A SUA EMPRESA

Um erro comum é pensar que as pessoas resistem a mudanças. Eu discordo. Um velho amigo e colega certa vez me disse "As pessoas não têm medo de mudar, elas têm medo de se sentirem mal com a mudança". Se um projeto de liderança e/ou uma iniciativa de mudança podem fazer com que os funcionários se sintam mal, incompetentes ou preguiçosos, eles resistirão. Podem concordar que há a necessidade de mudança, mas, ao adotá-la, acabam se sentindo inferiores ou incapazes. Mas não é impossível conciliar a mudança com a aceleração da performance.

Será que isso significa que os líderes devem se tornar terapeutas e andar pela empresa perguntando às pessoas como elas "se sentem" com relação às transformações? Sim e não. Não estou recomendando por enquanto que os líderes imitem um analista – dessa você se livrou. Todavia, estou afirmando que, se você quer níveis revolucionários de crescimento, deve reconhecer, respeitar, refletir enfaticamente e responder adequadamente à compreensão de como a mudança tem impacto nos funcionários e parceiros – como a mudança faz com que se sintam. Quando um líder não consegue abordar a reação das pessoas que estão enfrentando uma mudança, ele é visto como incomunicável, ignorante e desinteressado. Os funcionários são meras peças de uma engrenagem.

Quando um líder consegue discutir as partes emocionais de uma mudança e a forma como as pessoas se sentem, os funcionários e parceiros sentem-se ouvidos e valorizados, ficando, portanto, abertos a considerar as ideias que o líder tem para as próximas etapas – quais passos devem ser dados em seguida. Os líderes são, nesse sentido, ouvintes ativos das três estratégias de disseminação de comunicação seguintes:

1. **Definindo o "o que".** Os líderes devem responder *o que* deve ser realizado. Os líderes devem pintar uma imagem

atraente do futuro, uma imagem que seja entusiasmante, enobrecedora, edificante e atraente.

2. **Articulando o "porquê".** Os líderes também devem apresentar *por que* a realização do futuro é de interesse geral, elencando os diversos motivos. A parte do porquê de uma disseminação de excelência toca tanto a cabeça quanto o coração dos funcionários e deixa-os dizendo: "Sim, você está certo".
3. **Congregando o "como".** Os funcionários e os parceiros que têm voz são consultados e podem opinar durante todo o planejamento de um projeto ou iniciativa de mudança; eles veem a mudança como sua ideia e farão promessas e estabelecerão prioridades que estimulem e encorajem sua realização.

POR QUE A TRANSFORMAÇÃO INDIVIDUAL IMPORTA

Se os líderes querem uma transformação organizacional, eles devem estar preparados para passar por uma transformação pessoal primeiro. Isso é muito simples, mas geralmente subestimado. O que um líder faz todos os dias comunica o que é importante para ele. Será que ele prometeu aprender continuamente novas formas de ajudar os funcionários e clientes? Será que possui prioridades que criam alto valor para os parceiros e sócios?

Se os líderes querem cultivar a excelência organizacional, eles devem primeiro cultivá-la no plano individual. É uma hipocrisia anunciar que a excelência do funcionário e do cliente são inegociáveis e viver de formas que mantêm o *status quo*. Não usemos eufemismos: se você quer disseminar a alta performance para todos os consumidores e funcionários, deve, enquanto líder, abraçar a busca por excelência pessoal e profissional.

Os líderes são modelos para mudança, crescimento, inovação e transformação. Cada movimento mínimo que fazem e cada conversa que têm são observadas, portanto, são uma oportunidade de viver seus propósitos, suas promessas e suas prioridades. Se isso o deixa nervoso, e deveria deixar, eis a boa notícia: os funcionários não estão em busca da perfeição. Eles estão em busca de alguém que lhes instile confiança, coragem e compreensão, alguém que possa ajudá-los a florescer, prosperar, fazer com excelência seus trabalhos e tornar suas vidas mais fáceis. Exibir tais aspirações cultiva uma tremenda boa vontade e estimula uma parceria que dissemina a excelência por toda a empresa.

SEU PROJETO DE LIDERANÇA REVOLUCIONÁRIA

Toda empresa possui grandes reservas de talento que não estão dando o máximo de seu potencial. Há inúmeras razões para o desempenho máximo não ser alcançado e a excelência não ser disseminada por toda a organização. Você certamente possui sua própria lista, mas, após trabalhar com empresas durante mais de 30 anos, cheguei a um conjunto de 20 motivos que explicam por que os talentos não rendem tudo de que são capazes. Eis minha lista. O que você acrescentaria?

1. Liderança desestimulante.
2. Expectativas indefinidas.
3. Baixos níveis de confiança e respeito.
4. Uma cultura de obediência e não de compromisso.
5. Falta ou mudança contínua de direção estratégica.
6. Baixos níveis de responsabilidade.
7. Medição errada de performance.
8. Tolerância a funcionários desinteressados e descomprometidos.

9. Baixos níveis de pensamento crítico/objetivo.
10. Pouca ou nenhuma priorização estratégica e de tomada de decisão.
11. Baixos níveis de reconhecimento e recompensa.
12. Falta de disciplina na execução dos projetos.
13. Falta de diversão.
14. Poucos ou nenhum programa de *coaching* e orientação.
15. Pessoas erradas em cargos errados.
16. Nenhuma estratégia para superar obstáculos.
17. Um *mindset* negativo.
18. Dois pesos e duas medidas: os líderes seniores fazem uma coisa e esperam outra dos funcionários.
19. Ver os funcionários e clientes como duas coisas distintas.
20. Clientes infelizes com base em produtos e serviços inferiores.

Quer você trabalhe em uma *start-up* com dez funcionários, quer trabalhe em uma empresa estabelecida com 25 mil, a disseminação da excelência em toda a organização exige que os líderes se envolvam em um processo contínuo de desenvolvimento da liderança – um processo que seja focado na maximização do talento, na eliminação de barreiras e na aceleração de resultados. De forma inequívoca, isso é o que os líderes revolucionários fazem. Nesta seção você irá criar um projeto holístico de desenvolvimento de liderança e mergulhar de cabeça no aumento da performance de sua empresa.

MAXIMIZAÇÃO DE TALENTOS

A maximização de talentos começa com a premissa de que você possui pessoas talentosas trabalhando com você. Se não for esse o caso, o problema é outro e não será tratado aqui. Mas presumimos que seja. Sendo assim, para converter as habilidades e talentos de seus funcionários, você precisa identificar aqueles que agirão como evangelizadores daquilo que você pretende realizar. Esses funcionários possuem um *mindset* e um conjunto de habilidades que não apenas apoiam sua liderança, mas estão comprometidos com ela.

Pense em seu projeto e esclareça quem deve estar envolvido nele. Quem representa o melhor *mindset*, o melhor conjunto de habilidades, a melhor experiência, a maior paixão, a maior energia e a maior criatividade? Escolha os melhores três ou cinco e defina qual talento eles podem levar para seu projeto.

ELIMINAÇÃO DE BARREIRAS

Você pode ter os funcionários mais inteligentes e comprometidos do mundo, mas eles jamais produzirão os resultados acelerados se não se livrarem daquilo que os separa de seus objetivos: as barreiras e os obstáculos.

As barreiras podem ser relativas à cultura, ao processo, às atitudes, à comunicação, à liderança, à compensação etc. Para disseminar a excelência em toda a sua empresa, você deve se interessar menos pelos nos sintomas da baixa performance e se concentrar mais nas raízes que, uma vez identificadas, ajudam as empresas a remover as barreiras permanentemente.

Assim que você identificar o talento que quer ou precisa para seu projeto, é hora de alistá-lo na realização de uma análise de campo de força. O objetivo é quebrar as barreiras opositoras a seu projeto de liderança ou construir as forças incentivadoras. Como lembrete, as forças de restrição e promoção são:

Barreiras opositoras: Quais são as barreiras que estão impedindo a realização satisfatória e bem-sucedida de seu projeto? Elas podem ser pessoas, processos ou disponibilidade de recursos. Tente se reunir com seus evangelistas e pensar em uma lista de todas as barreiras opositoras possíveis.

Forças incentivadoras: Quais são as forças incentivadoras que podem garantir que suas promessas e seu propósito mantenham a chama acesa e obtenham sucesso? Elas podem ser pessoas, processos e disponibilidade de recursos. Identificar as barreiras opositoras e as forças incentivadoras exige que você responda às seguintes perguntas:

1. Qual é o resultado que quero alcançar? Esta é a principal pergunta de seu projeto de liderança.
2. Quais são os indicadores e valores para que meu projeto seja realizado?
3. Em quais forças opositoras e incentivadoras devo me concentrar?
4. Como estabeleço prioridades para as forças em ação? Quais delas exigem que eu aja em primeiro, segundo e terceiro lugares? Esclareça e classifique cada uma de acordo com a prioridade.
5. A qual força darei atenção imediatamente?
6. Quais são as novas prioridades e/ou promessas para minha liderança para que meu projeto tenha sucesso?
7. Como vou distribuir em minha agenda cada aspecto de meu projeto?

ACELERAÇÃO DE RESULTADOS

Os resultados que você almeja para seu projeto de liderança devem ser carregados de emoção. Sim, o "o que" do projeto deve ser claro, mas o "porquê" deve estar completamente presente. Sem a emoção do "porquê", não haverá o comprometimento necessário para se fazer algo diferente ou difícil.

Os líderes devem ser os primeiros evangelizadores de seus projetos. E, embora a palavra *evangelista* possa ter uma conotação negativa por conta de sua relação com determinada intransigência religiosa ou política, um evangelista é alguém que constrói uma massa crítica de crenças, apoio, entusiasmo e engajamento para uma ideia ou aspiração. De inúmeras formas, os líderes devem balancear a abertura e a receptividade em relação à obstinação, resolução e determinação de não ter um "não" como resposta. Eles devem proclamar o que acreditam e o motivo de aquilo ser importante.

A aceleração de resultados, especialmente quando se trata de disseminação de excelência em toda a empresa, exige um foco nas três dimensões do que foi discutido no Princípio do Propósito. Exige altos níveis de amor, talento e valor. Os líderes, por sua vez, ligam seus resultados estratégicos e o projeto de liderança de formas que conectam o amor que têm pelo trabalho, o talento que ele próprio e os outros empenham e o valor que estão comprometidos em criar.

Comecei este capítulo com o reconhecimento de que os projetos construíram uma má reputação, no senso comum. Terminarei com a promessa de que, com um propósito atraente de liderança, promessas altamente valorosas e prioridades estratégicas, é possível elaborar um projeto de liderança que não apenas proporcionará o valor revolucionário para as pessoas que mais importam para você como também criará a possibilidade de um projeto reproduzível e prazeroso que seja mais do que recompensador e enriquecedor. No próximo capítulo, você aprenderá como convencer aqueles que possuem valores opostos a apoiar seu projeto usando meu processo de persuasão em três partes.

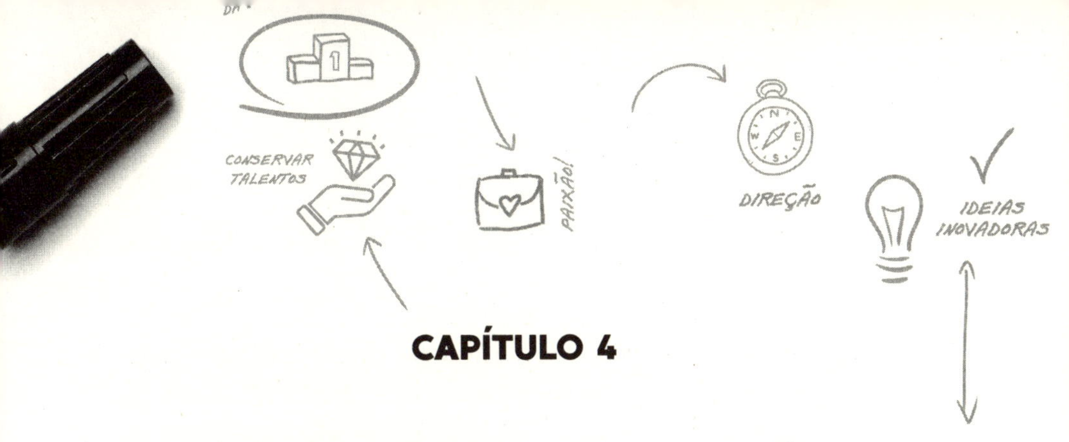

CAPÍTULO 4

O PRINCÍPIO DA PERSUASÃO

O QUE É A PERSUASÃO? E VOCÊ, SERÁ QUE TEM PERSUASÃO?

Nos Estados Unidos, 1,7 milhão de pessoas embarcam em voos domésticos diariamente. Para garantir a segurança, cada um desses passageiros deve passar por um procedimento de segurança. O procedimento é realizado por um detector cujo objetivo é tornar a viagem mais segura e verificar se o passageiro está apto a embarcar.

Um processo semelhante ocorre com os líderes revolucionários: eles reconhecem que cada um de seus parceiros também tem um processo de seleção para ouvir e seguir uma liderança. Esse processo não diz respeito à identificação de objetos cortantes ou líquidos, mas, sim, à seguinte pergunta: será que o líder está seguro ao seguir para o destino que defende? Se um líder não passa pelo procedimento de segurança, não será levado para uma sala ou revistado, mas se verá sozinho no portão de embarque, perplexo ao se perguntar por que é o único passageiro naquele voo.

Persuadir alguém significa "levar ou convencer alguém a acreditar ou aceitar alguma coisa". A persuasão é, portanto, convencer e influenciar alguém a agir ou pensar de determinada forma. A palavra crucial aqui é agir. Diante de inúmeras exigências, poucos

recursos e altas expectativas, os líderes encontrarão pessoas que não vão querer se alinhar às suas prioridades.

A persuasão na liderança revolucionária não diz respeito a discursos eloquentes e emocionantes como os de Abraham Lincoln ou os de Martin Luther King. A persuasão na liderança revolucionária diz respeito à influência positiva, não à manipulação. Em sua forma mais pura, a persuasão diz respeito a modelar com plena integridade os pensamentos, sentimentos, crenças e comportamentos dos outros. Mas isso nos leva à seguinte questão: por que as pessoas fazem o que fazem? Para saber o motivo por trás das atitudes alheias, você precisará reconhecer a ordem da definição da persuasão, da modelagem dos pensamentos, sentimentos, crenças e comportamentos dos outros. Vamos observar atentamente cada um desses aspectos da persuasão em particular.

O ponto-chave que você aprenderá com o Princípio da Persuasão é de que, para fazer as pessoas agirem de maneiras que sejam convenientes para seu propósito, suas promessas, suas prioridades e seus projetos, você deve começar entendendo e, em seguida, modelando os pensamentos, sentimentos e crenças que essas pessoas têm com relação a suas iniciativas. Somente assim elas irão agir de maneiras que sejam convenientes às suas demandas. Se quer ouvir um "sim" com mais frequência, você precisa saber o que acontece na mente das pessoas antes de a boca delas articular esse "sim". Se não entender o que precede o "sim", você continuará a ouvir sempre um "não".

Pensamentos

Toda ação que você e eu tomamos é precedida de um pensamento, e esses pensamentos são um poderoso catalisador da forma como vivemos nossas vidas e daquilo a que dizemos "sim". Veja o exemplo do detector nos aeroportos. Se você pensar que esses detectores são benéficos e ajudam a tornar a experiência dos passageiros mais segura, você o verá de uma forma positiva. Se pensar que o procedimento é uma perda de tempo e negligencia o problema maior, que é a bagagem, seus pensamentos com relação ao detector o levarão a desqualificar a segurança dos aeroportos.

Sentimentos

O pensamento de que o detector de metais dos aeroportos é importante e aumenta a segurança de todos os passageiros leva a um sentimento de segurança e conforto. Esse sentimento aflora na velocidade da luz e geralmente sequer é percebido. Na verdade, os pensamentos e sentimentos estão altamente conectados. Quando você pensa que seu tempo é valioso e faz de tudo para ser prático, qualquer coisa que possa interferir na realização desse ato (quer dizer, ser prático) é entendida (quer dizer, pensada) como uma ameaça e uma perda de tempo. O pensamento de perder tempo cria um sentimento de ansiedade e apreensão pelo fato de não ser eficiente – de não ser, naturalmente, prático.

Crenças

As crenças que todos nós temos relativas ao trabalho, aos parceiros e ao que somos capazes de realizar são poderosos gatilhos de nossas ações e comportamentos. Se eu penso que os detectores dos aeroportos são uma perda de tempo e fico com a sensação de ansiedade por estar sendo impedido de fazer meu trabalho melhor, minha crença é de que qualquer obstáculo que eu encontrar precisa ser evitado ou eliminado. Deixemos de lado o exemplo do detector por um momento. Há funcionários com um talento espetacular que não acreditam em si e sofrem da síndrome do impostor. Essa crença faz com que a pessoa pense que não é digna de estar na posição que ocupa e que a qualquer momento descobrirão que ela é uma fraude. Há também líderes que acreditam que podem não ser o líder mais talentoso do mundo, mas têm tanto amor e paixão pelo que fazem que nada os impedirá de alcançar seus objetivos. Seja qual for a crença nutrida, ela se torna verdade.

Comportamentos

Eis a questão crucial sobre o comportamento: sempre que alguém faz alguma coisa ou age de determinada forma, o faz porque acredita que aquela ação é a melhor resposta às crenças que tem com respeito a determinada situação. Se você vê alguém criticando um agente de segurança no aeroporto, essa pessoa acredita que, ao fazer aquilo, terá o melhor resultado. Você sabe que isso é uma tolice, mas não está sentindo as mesmas emoções nem tendo os mesmos pensamentos daquela pessoa. Nisso reside o grande desafio para os líderes revolucionários: se você quer que as pessoas apoiem seu propósito, suas prioridades, seus projetos ou suas promessas, não deve focar nos comportamentos que está vendo – deve, pelo contrário, focar nos pensamentos, sentimentos e crenças que levam àquele comportamento.

No trabalho, se a primeira coisa em que um colega seu pensa quando o vê é que você é uma pessoa dissimulada, manipuladora ou preguiçosa, que não faz parte da equipe e que age simplesmente por interesse próprio, o primeiro sentimento associado ao vê-lo será de medo. Se sinto medo quando o vejo, tenho uma crença de autopreservação de que devo me livrar de uma conversa com você o mais rápido possível. O comportamento que você vê a outra pessoa ter pode ser descrito como seco, rude e possivelmente evasivo. Os líderes revolucionários, então, fazem um jiu-jítsu comportamental. Eles se perguntam quais crenças, sentimentos ou pensamentos estão desencadeando esses comportamentos. Eles o fazem porque, quando essas perguntas são feitas e respondidas, a probabilidade de se ouvir um sim aumenta consideravelmente.

Então, o quanto você é persuasivo? Deixe de lado por um instante a teoria sobre os pensamentos, sentimentos, crenças e comportamentos e faça a si mesmo a seguinte pergunta: "O quanto eu sou persuasivo? O quanto é persuasiva minha liderança?". A resposta simples é: se você é persuasivo, ouvirá quatro tipos de sim.

1. **Sim, é uma boa ideia, e sim, vou ajudar.** Este é o primeiro e mais poderoso tipo de sim. É a resposta que os líderes mais querem ouvir, mas frequentemente não ouvem. Para um líder merecer esse tipo de sim, ele precisa pensar bastante nas prioridades da pessoa para quem está pedindo ajuda e precisa conectar seu pedido aos interesses pessoais do outro. Precisa, ademais, encontrar formas positivas de ajudar o outro a alcançar um resultado que seja mutuamente recompensador.
2. **Sim, se pudermos adicionar X a essa ideia podemos inclusive causar um impacto maior.** O segundo tipo de sim é aquele em que uma ideia complementar é usada para melhorar sua ideia de modo a servir a um propósito maior. Quando os líderes ouvem esse tipo de sim, ocorre uma incorporação de determinado nível de criatividade na conversa. Esse sim vem para somar e constrói uma ideia que, por fim, ajuda todos os envolvidos a pensar mais com relação aos possíveis resultados. Esse sim resulta em uma ideia que não é mais o fruto de apenas uma mente, mas, sim, uma ideia colaborativa.
3. **Sim, não sei como ainda, mas vou dar um jeito.** Esse sim pode ser poderoso e transformador. Como podem atestar diversos líderes de inúmeras empresas, há metas a serem realizadas que não possuem um caminho claro ou uma direção precisa. E é exatamente nesse ponto que reside o lado

positivo de um líder ouvir um sim. Os líderes revolucionários querem ouvir as pessoas dizerem sim a suas ideias, mas talvez mais importante do que isso seja o fato de que querem ouvir um sim a ideias que desafiam o *status quo* ao mesmo tempo em que cultivam um *mindset* baseado na paixão, na inovação e no crescimento.

4. **Sim, pode deixar comigo.** Esse sim é curto, direto ao ponto e mostra uma concordância clara. Quando um diretor de marketing precisa responder à diretoria – composta por membros que sabem pouco ou nada a respeito de marketing – sobre o impacto das estratégias nas mídias sociais sobre o processo de vendas da empresa, a melhor forma de começar é compreendendo os pensamentos que a liderança tem atualmente; o que sentem com relação ao departamento e às mídias sociais e quais são, se existirem, as crenças que estão na raiz desse pedido de explicação.

Ouvir esses quatro tipos de sim confirma que uma persuasão positiva está em curso e que você está no caminho para alcançar seu propósito, suas promessas, suas prioridades e seus projetos. Esse é o contexto de uma persuasão eficiente. Na próxima seção, você aprenderá especificamente o Processo de Persuasão de Liderança Revolucionária.

O PROCESSO DE PERSUASÃO DE LIDERANÇA EM TRÊS PARTES

Se você está em uma posição de liderança, provavelmente já leu sobre como convencer equipes e funcionários a fazerem algo que talvez não queiram. Não passa um dia sequer sem que você não tente persuadir alguém direta ou indiretamente. Você espera que as pessoas sigam sua liderança de maneiras que promovam inovação, crescimento e paixão.

Mas, no dia a dia, os líderes enfrentam a realidade de, muitas vezes, as pessoas não fazerem o que lhes foi pedido e/ou agirem de maneiras que não estão de acordo com os maiores interesses dos clientes, equipes e empresa.

Vamos deixar claro um problema-chave. A jornada do emprego, desde a seleção até as entrevistas, é um processo de persuasão que envia uma mensagem clara e convincente para cada funcionário sobre o que é importante e quais são as expectativas de um trabalho transformador. Quando os líderes observam cada interação com os funcionários e clientes como um processo de persuasão em três partes, fica fácil compreendê-lo, o que, por sua vez, demonstra uma extraordinária eficácia. Nas três seções que serão apresentadas a seguir, vamos esmiuçar cada parte do processo de persuasão e transformá-las em ações práticas no mundo real. O processo é bastante simples:

1. Construa relações fortes baseadas em confiança e respeito.
2. Entenda os objetivos e as prioridades do outro.
3. Apresente soluções que ajudem o outro a alcançar suas prioridades.

Se você concluir esses três passos, terá a persuasão necessária para liderar a transformação de seu projeto de maneiras poderosas e atrativas.

Por que a confiança e o respeito são o primeiro passo

Para que você se torne uma pessoa mais persuasiva, é fundamental que haja altos níveis de confiança e respeito. Pense por um momento em um colega, chefe ou companheiro de equipe em quem você não confia ou respeita. Quanta persuasão positiva essa pessoa exerce sobre você? Provavelmente, pouca. A confiança diz respeito a fazer o que dizemos que faremos e à credibilidade correspondente. O respeito, por outro lado, tem relação com a alta credibilidade dos talentos e habilidades do outro.

Suponhamos que você nomeie um vice-presidente sênior (VPS) para liderar um grande projeto. Em 2016, um grande projeto seria o *recall* do Samsung Galaxy S7. Para quem não se lembra, esse modelo de telefone teve alguns episódios de explosão, o que exigiu um *recall* de todos os exemplares vendidos. Esse *recall* pulverizou 26 bilhões de dólares – sim, bilhões, com "b". Era uma situação altamente arriscada, praticamente de vida ou morte, para a Samsung.

O VPS prometeu realizar uma análise detalhada do *recall* e apresentar os resultados para a diretoria em 45 dias. Se o trabalho apresentado for de alto padrão e englobar todas as questões levantadas pela diretoria e pelos executivos, você terá bastante consideração (respeito) pelas habilidades e talentos do VPS. Se o trabalho for realizado dentro do prazo, você verá o VPS como confiável. Nesse caso, confiança e respeito são essenciais para persuadir os executivos seniores e a diretoria a seguir em frente e executar o plano criado.

Imagine, contudo, que o VPS cumpra o prazo, mas apresente um trabalho de pouca qualidade. Porque a qualidade do trabalho não foi respeitada, a habilidade desse VPS de persuadir os executivos e a diretoria acaba comprometida. Quanto mais altas as apostas, mais importantes o respeito e a confiança se tornam.

O que é importante para você?

Conhecer os objetivos e prioridades das pessoas que você deseja persuadir é o segundo passo crucial. Isso exige colocar de lado seus próprios interesses e priorizar o que é importante para o outro. Quando sabemos o que é relevante para a outra pessoa — por exemplo, equilibrar a necessidade de inovação e crescimento com a necessidade de continuamente infundir excelência em produtos próximos do final do ciclo de vida —, podemos apresentar melhores soluções – soluções úteis para que todos alcancem os objetivos que desejam.

No Princípio dos Projetos, discutimos deixar de lado a metodologia e priorizar os resultados. Argumentei que apaixonar-se pelo que você faz e apaixonar-se pelo processo de fazer seus clientes, consumidores e funcionários viverem melhor porque trabalham com você é uma mudança revolucionária do *mindset*. O mesmo é verdade quando se trata do Princípio da Persuasão. O ato de se apaixonar pelo entendimento dos objetivos e prioridades de terceiros que podem ajudar ou prejudicar seu projeto, sua carreira e os recursos de que você dispõe é um ato incrivelmente persuasivo. Quando a mensagem que você dissemina diz: "Suas prioridades são tão importantes para mim quanto você", a qualidade de suas relações aumenta drasticamente e deixa os outros não apenas abertos ao que você tem a dizer, mas esperando poder ouvir de você. Você é, agora, um parceiro estratégico do outro e não um vendedor ou fornecedor.

Apresente soluções que ajudem o outro a alcançar suas prioridades

O ponto central desta seção declara que, quando líderes conduzem soluções sem compreender ou encarar completamente os objetivos e prioridades do outro a quem querem persuadir, chega-se à sentença de morte do sucesso, mesmo se você tem o título de "CEO". Os líderes mais bem-sucedidos com os quais trabalhei se esforçam incansavelmente para construir os mais altos níveis de confiança e respeito, ao mesmo tempo que mergulham no que é importante para o outro antes de sequer sugerirem uma solução.

Nas três seções a seguir, vamos mergulhar fundo no processo e nas habilidades exigidas para que você possa (1) construir níveis mais altos de confiança e respeito, (2) conhecer os objetivos e prioridades dos outros e (3) saber a melhor forma de apresentar soluções que façam com que as pessoas digam "sim" para suas ideias.

NÃO LEVANTE A VOZ, LEVANTE SEU COEFICIENTE DE PERSUASÃO

A fórmula para construir altos níveis de confiança e respeito é surpreendentemente simples: faça o que você diz que fará e faça-o dentro dos critérios acordados. Se você segue essa fórmula, construirá confiança e respeito e terá funcionários e clientes felizes. Mas espere um minuto. Se é tão simples assim, por que as pessoas não conseguem? Elas não conseguem por um único motivo: acham que foram claras a respeito de suas expectativas quando, na realidade, não foram. Faltam-lhes clareza e capacidade de infundir transparência e responsabilidade nas situações.

Como você tem lidado com a confiança e o respeito? A seguir coloco uma autoavaliação que o leva a pensar em quanta persuasão positiva você possui. As afirmações vão lhe pedir para classificar suas próprias ações no que diz respeito aos comportamentos necessários para se ter altos níveis de credibilidade e consideração. Em uma escala de 1 a 10, sendo 10 o mais alto nível e 1 o mais baixo, classifique suas ações segundo as seguintes afirmações.

Nível de confiança

1. Trabalho de forma ativa e intencional para criar um ambiente que propicie confiança em meus colegas.

2. Faço o que digo que farei.
3. Ajo com integridade em todas as minhas interações profissionais e pessoais.
4. Falo bem das pessoas mesmo quando elas não estão por perto.
5. Meus colegas dizem que realmente me importo com cada um deles.
6. Falo a verdade de maneiras que criam confiança.

Nível de respeito

1. Busco as habilidades e talentos de meus colegas e me concentro nessas habilidades e talentos.
2. Com frequência mostro e comunico meu respeito pelas habilidades e talentos de meus colegas.
3. Coloco de forma ativa o máximo de valor possível em todas as interações que tenho com meus colegas.
4. Sou focado e não me distraio quando estou interagindo com meus colegas.
5. Sinto que sou respeitado por meus colegas.
6. Reconheço e comunico meu interesse e admiração pelas perspectivas dos outros.

Agora, volte e responda às perguntas do ponto de vista de seu chefe, de seus colegas e de seus colaboradores. Como eles responderiam a essas perguntas sobre você? Você enxerga uma distância entre a forma como respondeu às questões e a forma como acredita que seus colegas as responderiam? Há alguma diferença entre sua percepção de seu próprio comportamento e as percepções dos outros? Se sim, há uma chance de existir um problema de credibilidade, o que coloca em risco sua capacidade de persuasão.

Dizendo de maneira bem simples, a confiança e o respeito são construídos mediante expectativas claras e com você fazendo o que diz que fará.

ELABORANDO EXPECTATIVAS CLARAS

Ter expectativas claras pode reduzir em 50 por cento o conflito em sua vida pessoal e profissional e aumentar sua performance. Você consegue isso sendo claro com relação ao que espera dos outros. Por exemplo, uma cliente minha que era CEO em uma instituição financeira de 200 milhões de dólares não estava conseguindo entrar em um acordo com a diretoria sobre a direção estratégica e as prioridades da empresa. Suas expectativas eram de que o crescimento e o aumento de lucros viriam a partir do momento que a empresa fosse guiada pela lógica do mercado. Isso significava empenhar mais tempo, dinheiro e recursos de marketing aos clientes-chave. Se feito de forma certa, os lucros continuariam a crescer a partir de uma posição que já era positiva. A diretoria tinha a expectativa de ser uma instituição guiada pela lógica financeira e portanto as decisões deveriam ter como base sua saúde financeira; o marketing deveria seguir o que o âmbito financeiro permitisse.

Essas expectativas conflitantes exigiam um maior nível de clareza tanto quanto às expectativas fundamentais com as quais cada parte concordava como quanto às expectativas para atender às suas diferentes pretensões, de forma a criar confiança e respeito. Minha cliente sentia-se desrespeitada e desvalorizada e a mesa diretora sentia-se impedida de fazer seu trabalho. Nenhuma das questões anteriores concernentes à confiança e ao respeito teria alta classificação em nenhuma das dimensões.

As expectativas claras têm raízes em sete passos fundamentais.

1. Reafirmar o propósito

Em quase todas as situações de frustração que vivenciei em reuniões com executivos, o erro fatal foi tratar da forma como uma situação podia ser resolvida sem antes esclarecer o "o que" e o "porquê" daquela situação. O processo de estabelecimento de expectativas que estimula a inovação, o crescimento e a paixão começa com o propósito de uma equipe ou empresa. Quando você começa uma conversa com "Nosso propósito é aumentar drasticamente a qualidade de nossa liderança ao mesmo tempo que aumentamos também a qualidade dos resultados de nossos negócios", você responde à questão contextual fundamental de qual é o seu propósito. Sim, você pode ter problemas durante o caminho quando o assunto for como realizar esse propósito, mas começar com sua definição objetiva mostra a todos a direção certa.

2. Definir o sucesso

A definição do sucesso de seu propósito e da razão de ele ser benéfico infunde esperança, otimismo e energia em seu discurso. Alguém pode saber qual é o propósito, mas até que a definição de sucesso não seja esclarecida individualmente, sua perspectiva permanecerá no campo do intelecto e da teoria. Por exemplo, se um líder em sua empresa ouve que você quer aumentar drasticamente a qualidade da liderança e seus resultados, esse líder provavelmente dirá "sim" a isso, pois teoricamente soará como uma boa ideia. Entretanto, o poder real vem da articulação com cada pessoa sobre os benefícios de se alcançar esse dado propósito. Por exemplo, se você realizá-lo, alcançará o seguinte:

1. Os líderes terão uma visão clara sobre a evolução profissional e não verão mais suas carreiras como imprevisíveis e incontroláveis.

2. Os líderes terão uma análise clara de onde estão atualmente, dos sucessos específicos a buscar e dos desafios claros a enfrentar.
3. Os líderes terão oportunidades de desenvolvimento profissional que, se aproveitadas, poderão impulsioná-los a níveis mais altos tanto de sucesso quanto de satisfação.

3. Esclarecer papéis, responsabilidades e calendários

Em seguida, há as especificidades dos papéis, das responsabilidades e dos calendários. Cada uma dessas três áreas precisa ser completamente clara e compreendida. Por exemplo, como Coordenador Assistente, você é responsável por contratar, treinar, reter e garantir a qualidade (e responsabilidade) de voluntários para o projeto de engajamento do cliente. Meu papel será verificar se você possui os recursos disponíveis e estabelecer o que posso fazer para ajudá-lo a ter sucesso. Ademais, o projeto começará em seis meses e você deverá reservar 15 horas por semana de sua carga horária para se dedicar a essa atribuição. Você foi convidado a fazer esse trabalho por causa de sua expertise em gerenciar voluntários e de seu sucesso na campanha do ano anterior. Esclarecer cada um desses pontos é fundamental para que você, enquanto líder, receba um "sim" como resposta.

4. Esclarecer a tomada de decisões

Integrado a esse passo está o reconhecimento da autoridade para tomar decisões. Uma determinada pessoa pode tomar decisões unilateralmente ou deve antes consultar seus chefes? A confiança e o respeito são partes importantíssimas desse passo. Se confio em você e se o respeito e articulei com clareza seu papel e seu orçamento, posso instruí-lo a tomar as decisões que você considera as melhores para alcançar seus propósitos e fazer com que tenhamos sucesso. Portanto, da próxima vez que nos reunirmos, você me comunica o que decidiu. Isso significa delegar. Se uma pessoa é um novo funcionário com menos experiência em um cargo, posso pedir relatórios semanais. Independentemente da experiência, esclareça usando o seguinte modelo de tomada de decisão:

1. Como líder sênior, posso e vou tomar todas as decisões. Não preciso pedir sua opinião, mas tenho que lhe dizer o que decidi.
2. Semelhante ao 1, mas com a diferença de que vou consultá-lo, pedir sua opinião e somente depois tomarei minha decisão.
3. As decisões são tomadas em conjunto.
4. Você toma uma decisão após me consultar.
5. Você pode tomar uma decisão sem me consultar.

Se seguir esse passo, quaisquer frustrações que possa ter com relação às expectativas diminui em 50 por cento.

5. Agendar atualizações da situação

Essa expectativa também tem suas raízes na confiança e no respeito. Se tenho quaisquer dúvidas com relação a seus talentos, habilidades ou capacidade de realizar uma tarefa, posso pedir relatórios de atualização mais frequentes. Você também pode desejar relatórios de atualização mais frequentes quando se tratar de um projeto crítico. Em ambos os casos, saber a frequência dos relatórios e saber o que se espera desses documentos é crucial. Dizer: "Vamos verificar uma vez a cada quinze dias" não é específico. Nesse passo, ambas as partes podem esclarecer como veem as atualizações. Para uma pessoa, pode ser um percentual de tarefas prioritárias realizadas, números reais de orçamento, riscos e desafios e lições aprendidas. Também é necessário esclarecer o formato que será usado. Será submetido por escrito dois dias antes, de modo que cada um tenha tempo para digerir as informações e preparar perguntas? Seja claro com relação ao que você quer e com relação ao que pode fazer, consideradas todas as outras prioridades.

6. Enfrentar os problemas

Problemas que não forem resolvidos acabam com a confiança e com o respeito. É fundamental que as expectativas sejam significativas e transformadoras. Sem que seja necessário escrever um capítulo sobre o gerenciamento de conflitos, a melhor forma de enfrentar os problemas é fazer perguntas com curiosidade e abertura. Por exemplo: "George, entendi que tínhamos concordado que verificaríamos uma vez a cada quinze dias e que você enviaria o relatório com dois dias de antecedência, mas não recebi nada. Ajude-me a entender o que aconteceu". Você provavelmente ouvirá uma explicação sensata e poderá discutir com George qual passo dar em seguida. Se não perguntar nada, George saberá que não passar o relatório com antecedência não tem nenhuma consequência e provavelmente fará isso de novo. A chave é reconhecer que você destruirá a confiança e o respeito se não enfrentar os problemas.

7. Confirmar que existe compreensão e concordância

O último passo é confirmar com o outro todos os passos anteriores. Por exemplo: "A partir desta conversa, vamos verificar se estamos entendidos. Qual você acha que é o seu papel, quais suas expectativas etc.?". Quando você tem um resumo claro, terá apenas um passo adiante. Volte ao Princípio das Promessas e revise a seção de estabelecimento de prioridades. Compreender como criar expectativas claras é uma coisa; o passo seguinte é estabelecer prioridades em torno dessas expectativas, de modo que você possa fazer o que prometeu. Se fizer isso, mais pessoas estarão dispostas a lhe dizer "sim" e haverá menos entraves a uma alta performance.

VOCÊ TEM DUAS ORELHAS E UMA BOCA

Dizem que os olhos são a janela para a alma. Se for verdade, as orelhas são as portas para o coração. É por meio de suas orelhas que você escuta o que é importante para alguém. Nós não apenas escutamos as palavras que as pessoas usam, mas ouvimos os tons de voz, as inflexões, e podemos distinguir entre as emoções expressas e prever qual é o passo seguinte desejado. Nossos ouvidos nos concedem essa habilidade, mas é muito frequente não a usarmos. Estamos muito ocupados ouvindo, através de filtros, o que é importante para nós e, em muitos casos, não ouvimos, mas interpretamos o que os outros estão dizendo.

Um de meus clientes, Dr. Timothy Chester, é Diretor de Tecnologia da Informação da Universidade da Georgia e em seu blog escreveu sobre a arte de usar nossos ouvidos e sobre por que apenas uma boca é mais do que suficiente. No texto, ele narra uma conversa que teve com o Diretor de Recursos Humanos da Universidade Texas A&M e como foi frustrante para ambos conversar com o Diretor de TI encarregado do sistema da folha de pagamentos da universidade. O que o RH queria eram dados objetivos e credíveis sobre os funcionários. Quando o RH perguntou o que alguns dados significavam, a resposta foi: "O que você quer que os dados signifiquem?".

Há duas formas de se ver essa conversa: a primeira, a partir de um aspecto técnico sobre como a acuidade e a clareza da informação são essenciais para que seja tomada a melhor decisão possível. A segunda, sob o prisma de persuasão/pessoal e de como é fundamental que profissionais tecnicamente treinados e eficientes aprendam a escutar primeiro para compreender o que é importante para alguém antes de abrir a boca para responder. Então, como no processo de persuasão, nossa boca pode ser usada para fornecer valor significante para a pessoa com a qual estamos conversando, a saber, ajudar essa pessoa a ter sucesso. Quando usamos nossas orelhas primeiro, temos o potencial de nos tornarmos parceiros estratégicos conhecidos por resolver problemas.

Ao longo dos últimos 15 anos, trabalhei com centenas de profissionais brilhantes e bem-intencionados que foram mais bem-sucedidos em deixar seus parceiros menos brilhantes tecnicamente frustrados em vez de empoderados. Embora ouçam atentamente as questões técnicas relacionadas a um problema, são surdos para o lado pessoal do trabalho. Em contrapartida, comunicam sua falta de entendimento claro das prioridades das pessoas que pretendem persuadir.

Você está persuadindo pessoas todos os dias e deve ser excepcionalmente bom em ouvir tanto o lado pessoal quanto o lado técnico das questões e dos problemas, caso contrário, não terá lugar nas tomadas de decisão e estará fadado a ser visto como um custo a ser minimizado em vez de um lucro a ser maximizado. Como assegurar um lugar na mesa de decisões? Como persuadir os outros de forma mais poderosa, melhorar sua marca de liderança e sua reputação e ser visto como um criador estratégico de valor? A seguir estão sete estratégias de persuasão que exigem que você use suas orelhas antes de abrir sua boca.

1. Fale a linguagem do outro

Para extrair os objetivos estratégicos e importantes das pessoas que você está tentando persuadir, eis o básico que todo profissional deve fazer. Procure saber como a pessoa com a qual está trabalhando prefere comunicar-se com você. Prefere que você forneça uma série de dados com uma perspectiva histórica ou que vá direto ao ponto e lhe forneça um resumo do que espera que seja realizado? Quer que você lhe faça perguntas e a envolva em uma conversa ou que lhe diga o que fazer? Se você usar a linguagem errada com uma pessoa crucial na cadeia de tomada de decisões, vai frustrá-la, perder credibilidade e, consequentemente, desperdiçar tempo e energia.

2. Mantenha o foco no interesse do outro, não no seu próprio

Todas as pessoas com as quais você interage têm uma lista implícita de interesses próprios que influenciam seus comportamentos. Algumas dessas pessoas são influenciadas por acuidade e perfeição e outras estão interessadas em consensos e na inclusão de todas as pessoas certas. Quanto mais você ouvir as pessoas e descobrir em primeira mão o que lhes é importante, mais condições terá de satisfazer seus interesses e trabalhar para transformar os desejos delas em soluções oferecidas por você.

3. Deixe de lado o blá-blá-blá técnico

Pare de usar acrônimos. Os acrônimos são bastante úteis para fornecer um atalho na comunicação dentro de determinados grupos ou equipes. Entretanto, quando você usa um acrônimo técnico com um cliente, consumidor ou líder que não o conhece ou entende, cria-se uma separação entre você e a outra pessoa. Essa distância destrói a confiança e o respeito e impede que você compreenda o que é, de fato, importante. Se deseja construir ressonância e comunicar-se com credibilidade, pare de usar jargões técnicos e fale na linguagem que a outra pessoa entenda.

4. Pense, aja e fale como um conselheiro confiável

A apresentação de soluções que desencadeiem respostas positivas fundamenta-se em você ser visto como um parceiro de negócios confiável. Isso significa que você terá respostas, experiências e perspectivas que são valiosas para a outra pessoa. Para construir a receptividade a suas ideias e a disponibilidade de ajudá-lo em determinado problema ou assunto, é preciso que você escute para entender em vez de escutar para responder. Se você escutar para entender, os outros se sentirão ouvidos e compreendidos. Quando alguém sente que é ouvido, torna-se significativamente mais receptivo a ouvir suas recomendações e a confiar no que você diz. Parceiros estratégicos são altamente qualificados para fazer as perguntas críticas, como você viu no item "Manter o foco nos resultados é uma estratégia limitadora da carreira", discutido no capítulo que trata do Princípio dos Projetos.

5. Conheça os objetivos que movem o outro

Seja qual for seu cargo funcional ou sua expertise, minha recomendação é contraintuitiva: esqueça sua expertise técnica e foque nos objetivos mais urgentes da outra pessoa. Isso é difícil para alguns profissionais altamente treinados porque eles veem o mundo a partir de uma perspectiva técnica. Aprender como conversar de formas menos binárias ou lineares e a focar mais em questões estratégicas dos negócios e em como você pode ajudar para que os objetivos da empresa sejam alcançados deve ser sua prioridade.

6. Desapaixone-se

Muitas pessoas que entram em áreas altamente técnicas apaixonam-se pela tecnologia. Elas amam usar a educação e o treinamento que receberam para resolver problemas técnicos altamente complexos e têm um grande orgulho pessoal por fazer isso. E é aí que mora o problema. Elas consideram que há mais valor em agir como "bombeiros" do que em ajudar os outros a se tornarem retardadores de chamas.

Tim Chester, da Universidade da Georgia, certa vez me disse: "Os departamentos de tecnologia da informação deveriam terceirizar o pessoal do comercial e manter o pessoal transformador". Esse tipo de pensamento deixa muitas pessoas tecnicamente treinadas desconfortáveis, pois representa um mar de mudanças na forma como elas veem o valor que produzem. Elas apenas desempenham o papel de mão de obra técnica e não sabem como ser conselheiras que criam resultados acelerados de negócio. Isso é a sentença de morte para a maioria dos profissionais tecnicamente treinados.

7. Seja notável

Toda interação ao longo do dia envolve, impacta e influencia as pessoas com as quais você trabalha. A questão é determinar se seu impacto e sua influência são positivos ou não. Sua intenção pode ser cristalina como a água de uma fonte, mas se seu impacto for negativo, sua influência deteriora-se. Profissionais tecnicamente treinados precisam se lembrar de que, se não houver nada muito distintivo no trabalho que realizam e no valor que criam, eles acabarão extintos.

Se você se lembra bem, o que o Diretor de Recursos Humanos queria era um relatório com dados claros e credíveis. O que os sete passos anteriores oferecem é um caminho para que você tenha uma presença executiva objetiva e credível. Quando adiciona um relatório de dados a esse tipo de presença, você alcança uma combinação ímpar.

Ouvir pode ser uma forma de arte. Como ocorre com pincéis e tintas nas mãos de um artista dotado, a escuta pode criar uma obra de arte que gera admiração e respeito àquele que é ouvido. Na próxima seção, vou compartilhar oito estratégias a serem usadas quando você abre a boca, em oposição às estratégias anteriormente apresentadas que detalham o que fazer antes de abrir a boca. O ideal é entender as seções anteriores como relacionadas à persuasão receptiva e a seção seguinte como concernente à persuasão expressiva.

LIDANDO COM PRIORIDADES OPOSTAS

Nesta seção, vamos falar sobre como apresentar suas ideias de uma maneira que as pessoas sintam-se compelidas a dizer "sim" a elas. Há oito estratégias para persuadir alguém a dizer sim a suas demandas. Algumas dessas estratégias estão mais relacionadas ao *mindset*, ao passo que outras dizem mais respeito às habilidades intrínsecas. Entretanto, em cada um desses casos, as estratégias são um passo importante e construtivo em direção à resposta positiva (ao "sim") que todos os líderes querem ouvir.

Estratégia de persuasão #1: Coloque os outros em primeiro lugar

Embora possa parecer repetitivo e desnecessário, a primeira estratégia de *mindset* nos lembra de sermos úteis. Por que você precisa se lembrar de ser útil? Porque há uma pressão contínua em todos os níveis de uma empresa para que você entregue resultados, às vezes a qualquer custo. O conselho é fazer mais, melhor, mais rápido e a um custo menor. Esse mantra pode, dependendo de como for utilizado, colocar os resultados à frente das relações, os lucros à frente das pessoas, e o fazer à frente do ser.

Para ser útil para os outros, você deve começar preocupando-se profundamente com o que é importante para a pessoa que pretende persuadir. Isso exige saber que você possui objetivos de negócio que precisam ser realizados, mas que conseguir uma "venda" pode impedi-lo de conseguir uma segunda, terceira ou quarta venda bem mais lucrativa. A única maneira de assegurar a quarta venda é garantir que a primeira e as subsequentes estejam claramente conectadas ao fato de ser útil para a outra pessoa e fazer a vida dela mais fácil e melhor. Quais são especificamente as prioridades delas e quais, se existirem, são as promessas que elas fizeram e que você pode ajudá-las a alcançar? Tudo o que você realizar começará nesse ponto.

Estratégia de Persuasão #2: Estar aberto a ser persuadido

Para persuadir alguém a dizer sim a um pedido seu, é preciso que você esteja aberto a ser persuadido também. Na década de 1980, quando Ronald Reagan era presidente dos Estados Unidos e Tip O'Neill era presidente da Câmara dos Representantes, ambos sabiam que, para a agenda do presidente passar na Câmara, ela precisaria da aprovação de O'Neill.

Embora ambos fossem políticos e negociadores experientes, eles também sabiam que uma abertura a ser persuadido era essencial para fazer a política progredir. Eles se abriam à persuasão, portanto, davam um ao outro algo que talvez não fosse completo, mas que era o melhor possível. O que é importante ter em mente com relação ao Princípio da Persuasão é que persuadir outras pessoas a ver as coisas segundo seu ponto de vista nunca é um processo de tudo ou nada, de certo e errado. Trata-se, pelo contrário, de uma questão de razoável, bom e melhor.

O mesmo vale para garantir um sim a sua ideia de, digamos, acrescer 450 mil dólares aos gastos com pessoal. Se as únicas opções forem os exatos 450 mil dólares ou nada, você provavelmente ficará desapontado e será visto como um líder "birrento", para quem ou as coisas são do jeito dele ou não são. O que é preciso para que você ouça um sim de um colega ou de um chefe quando pede recursos adicionais é uma disponibilidade clara de ser receptivo a maneiras novas e possivelmente mais engenhosas de pensar na alocação dos recursos. É importante ser capaz de ser persuadido a ver sua perspectiva de uma forma diferente. Em vez de um *mindset* "ou tudo ou nada", cultive um *mindset* colaborativo e mutuamente benéfico.

Estratégia de Persuasão #3: Exale confiança

Para muitos líderes, exalar confiança não é um problema. O problema é que essa confiança vem de seu cargo e do lugar que seu nome ocupa na empresa, e não do poder de suas ideias. Quando isso acontece, essa confiança é percebida como arrogância. A arrogância, uma crença exagerada em sua própria importância ou habilidades pessoais, não é nada atraente e repele a adoção de ideias.

A confiança, por outro lado, tem suas raízes na segurança e na crença em uma posição, pessoa ou resultado. A confiança em suas ideias, quando acompanhada de um *mindset* colaborativo fundado no benefício mútuo, é essencial para líderes revolucionários. Se você acredita fortemente em algo, está disposto a ser persuadido e entusiasmado em persuadir os outros, você constrói os fundamentos para o passo seguinte.

Estratégia de Persuasão #4: Viva o momento

Muitas vezes estamos dissociados do momento presente. Ou pensamos em experiências de persuasão passadas, bem-sucedidas ou não, ou projetamos um futuro e pensamos em nossos pedidos de recursos adicionais e o que faremos se recebermos um não como resposta. Quando nosso pensamento está no passado ou no futuro, não estamos ouvindo a pessoa falando de suas prioridades e expectativas. Nós a estamos perscrutando com base em nosso passado ou em algum futuro, e ambas as situações nos impedem de ouvir pistas implícitas no tom de voz ou na escolha das palavras. Isso também cria ansiedade e apreensão. Os treinadores sempre recomendam aos atletas que mantenham o foco no jogo toda vez que um erro é cometido. Para os líderes revolucionários, o apelo fundamental é que mantenham seu *mindset* no momento.

Estratégia de Persuasão #5: Use a estratégia do "se... , então"

Quando você estiver apresentando uma ideia, ouvirá preocupações, objeções e questionamentos. Isso é exatamente o que se espera. Dúvidas e réplicas mostram comprometimento, ao passo que uma recusa seca fecha todas as portas. Considere uma objeção como: "Minhas prioridades são reduzir meu orçamento em 7,5 por cento e diminuir o tempo que os clientes esperam para ter uma resposta a um pedido de mudança de limite do cartão de crédito. Sei que isso é possível porque as despesas com o escritório fechado em Baltimore terminarão no quarto trimestre, então ficarei bem, mas preciso reduzir o tempo de espera".

O objetivo de se usar a estratégia do "se..., então" é simplesmente continuar a conversa para determinar se a colaboração e a estratégia de benefício mútuo podem ser utilizadas. Por exemplo: "Paula, tenho uma ideia de como posso ajudá-la a diminuir o número de clientes na lista de espera. Se minha equipe, que teve sucesso resolvendo um problema parecido para mim, pudesse compartilhar nossas práticas e ajudá-la a alcançar as metas de tempo que quer, será que você então estaria disposta a me ajudar com um problema de pessoal?".

Estratégia de Persuasão #6: A mágica da estratégia dos três "sim"

Se você quer que alguém diga "sim" a um pedido de recursos adicionais, um passo importante é oferecer a essa pessoa três opções atraentes que possam conduzir a uma resposta "sim". Se você usufrui de altos níveis de confiança e respeito e conta com um histórico de resultados exemplares, apresentar apenas uma opção corresponde a, no máximo, 25 por cento de chance de sucesso. Oferecer uma única alternativa deixa a pessoa curiosa a respeito de outras possibilidades e um "não" acaba se tornando a maneira mais fácil de interromper o processo.

Quando você oferece duas opções, cria uma escolha binária, o que em geral cai na ideia de "certo e errado" ou "bom e ruim". Isso também impede o processo de seguir em frente e reduz as probabilidades de alguém dizer sim a suas ideias a 50 por cento – é, basicamente uma questão de cara ou coroa. Em contrapartida, quando você oferece três opções, todas elas passíveis de ir de encontro às necessidades, desejos e objetivos da pessoa em questão, a probabilidade de que uma de suas opções seja aceita aumenta para 90 por cento.

Estratégia de Persuasão #7: A estratégia da linguagem poderosa

Sem o uso da linguagem, não podemos pedir nosso café favorito, não podemos expressar nossos sentimentos a nossos parceiros e filhos e não podemos dizer ao médico onde dói. A linguagem é uma ferramenta poderosa para o bem e para o mal, mas, no mundo dos e-mails, do Twitter e das mídias sociais, a linguagem transformou-se em um resumo de 140 caracteres. Culturalmente, agora aceitamos ouvir um "sem problemas" em vez de "por nada" como resposta a um gesto positivo.

Observei dois líderes em uma reunião de equipe discutindo um problema complexo e difícil. Em três ocasiões, o primeiro disse coisas como: "Essa ideia não vai funcionar" e "Isso é desnecessariamente complicado". O segundo líder usou expressões como: "Podemos desenvolver essa ideia fazendo..." e "Sua ideia é muito útil e me faz pensar com mais clareza nessa questão e em como podemos avançar mais rápido. Obrigado".

A linguagem do primeiro líder estava enraizada no que não estava funcionando, ao passo que a linguagem do segundo líder estava enraizada naquilo que poderia funcionar. O primeiro líder estava comunicando seu ponto de vista de que o que tinha sido apresentado era inaceitável e impraticável. O segundo líder comunicava o oposto.

Pense nas palavras que você usa como sementes plantadas no solo fértil da experiência de alguém e pense na resposta que receberá para suas ideias e pedidos como a colheita das palavras que plantou. Os dois líderes do exemplo usaram linguagens diferentes e obtiveram níveis diferentes de receptividade, níveis estes diretamente ligados às linguagens utilizadas. Como líder revolucionário, você deve tentar escolher palavras positivas, otimistas, edificantes e de gratidão – palavras que sejam catalisadores de uma persuasão positiva.

Estratégia de Persuasão #8: A estratégia "me mostre o dinheiro"

Essa estratégia pode trazer à lembrança Tom Cruise no filme *Jerry Maguire*, com o ator gritando ao telefone: "Me mostre o dinheiro!". O personagem de Tom Cruise é um empresário de atletas desesperado para manter um cliente e acaba persuadido a falar como ele, um astro dos esportes. O dinheiro não é a resposta para todos os dilemas de persuasão que você enfrenta, mas devemos reconhecer que muitos líderes estão focados em aumentar os lucros e, de fato, veem a maior parte das decisões como decisões financeiras. Se seu pedido não permite que alguém veja um retorno claro do investimento que será dizer "sim", provavelmente você vai falar com as paredes.

Por exemplo, um Diretor de Tecnologia da Informação, cliente meu, era astuto o suficiente para reconhecer que seu investimento de 179 mil dólares em um novo sistema de impressoras, copiadoras e fax tinha pouco a ver com os equipamentos em si. As impressoras não eram exatamente o foco do negócio. O que estava sendo comprado era um "acelerador de prioridades organizacionais" que tinha um retorno de dez vezes o valor investido. Usando várias das estratégias listadas anteriormente, ele articulou com clareza os tópicos a seguir:

1. O custo em horas relacionado à eficácia dos funcionários, facilidade de operação/resolução de problemas e manutenção do sistema atual.
2. Os custos futuros para operar o novo sistema.
3. A quantidade de má comunicação e a enorme necessidade de refazer documentos que o atual sistema causava.
4. O tempo gasto em departamentos cruciais por causa de ineficiências e como recuperar 25 por cento do tempo gasto era um catalisador para a realização das prioridades da empresa.
5. Como o sistema atual estava afetando os departamentos de cada um dos executivos seniores e quais seriam os impactos que um sistema novo causaria individualmente nesses profissionais.

Após somar todos os números, o Diretor de Tecnologia da Informação mostrou o valor ao qual chegou: a estimativa era de 3,5 milhões de dólares. Em seguida, dividiu aquele número em dois para mostrar que era conservador a respeito do potencial positivo de um novo sistema. O lado positivo: 1,5 milhão de dólares após o investimento de 179 mil mostrava um lucro líquido de 1,321 milhão de dólares – um retorno de sete vezes para cada dólar gasto. Essa apresentação mostrou aos executivos responsáveis pelas decisões que aquele Diretor de TI era um parceiro estratégico para toda a empresa – um parceiro instrumental que estava comprometido em fornecer resultados altamente valiosos.

Nesta seção você aprendeu o processo de persuasão em três partes e teve acesso a ações detalhadas para tornar cada passo apresentado completamente aplicável no mundo real. Na próxima seção, você complementará essas estratégias com o princípio mais mal-usado e incompreendido que este livro apresenta: o Princípio do Elogio.

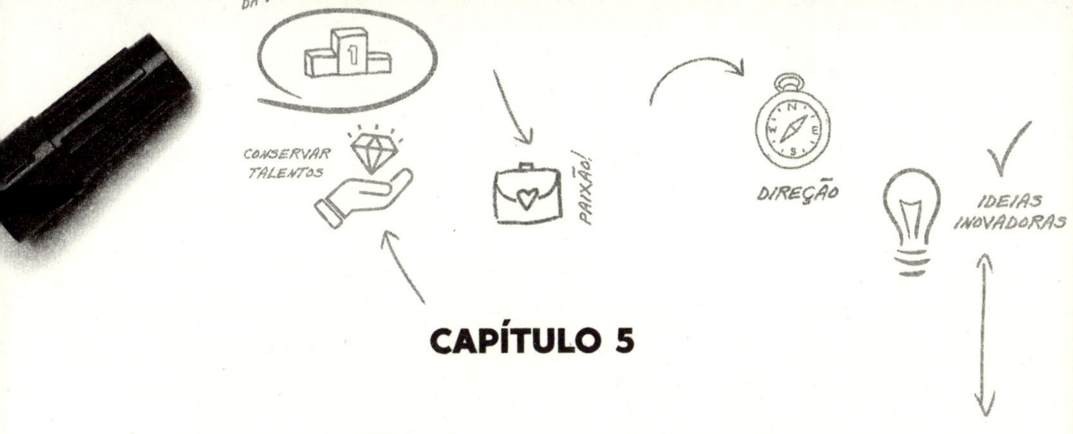

CAPÍTULO 5

O Princípio do Elogio

O *MINDSET* NEGATIVO QUE IMPEDE O ELOGIO

Os líderes que incutem em seus funcionários uma profunda confiança em suas habilidades têm uma grande vantagem administrativa. Para tanto, é necessário que os líderes reconheçam como normais os medos e incertezas dos funcionários – reconheçam, em outras palavras, que sua principal função é ajudar a transformar os medos dos funcionários em passos corajosos mediante elogios e depuração. Eliminar um *mindset* negativo de um líder é um primeiro passo essencial rumo ao Princípio do Elogio, pois precede uma abordagem eficaz dos motivos de os funcionários não desenvolverem o máximo de seu potencial.

Ao longo de meu trabalho com executivos e empresários, percebi que o maior inibidor de um elogio eficaz e, por conseguinte, de uma performance mais alta não é o conjunto de habilidades individuais, mas o *mindset* desses executivos e empresários. No atual mundo acelerado do trabalho, a maneira mais rápida de alcançar resultados revolucionários é cultivar o *mindset* apropriado plantando um tipo de pensamento que permita que você, enquanto líder, floresça na medida em que elimina o tipo de pensamento que o trava. Vamos tratar disso de uma maneira mais direta e completa na

seção em que falo do tratamento de agenda, mas por enquanto é suficiente dizer que existem três inibidores fundamentais do *mindset* que impedem os líderes de direcionar elogios tanto aos outros quanto a si próprios. Enfrentar estes três *mindsets* negativos incentiva mais elogios e purifica os aspectos indesejados e limitadores de sua liderança.

Agarrar-se ao passado

O passado é uma força poderosa, capaz de nos impelir rumo aos nossos objetivos ou de nos impedir de desenvolver nosso potencial. Infelizmente, a maioria de nós permite que nosso passado nos atravanque.

Lembro-me de uma conversa que tive com um vice-presidente de projetos estratégicos sobre um projeto que foi adiado e, por fim, não obteve o sucesso esperado. Todos os envolvidos apontaram o dedo e acusaram o vice-presidente de ser responsável pela falha. Compreensivelmente, o vice-presidente sentiu-se atacado e atirado aos lobos. Ele era o responsável? Sim, devido a vários fatores, mas igualmente responsáveis eram os líderes seniores, que falharam ao ler os relatórios executivos e, depois, alegaram ter sido pegos de surpresa quando a informação chegou a seus ouvidos. O vice-presidente olhou para a mesa e viu líderes que, apenas alguns dias atrás, haviam concordado com ele que também eram responsáveis pela falha, mas permaneceram calados enquanto os líderes seniores o repreendiam com veemência.

O ressentimento que o vice-presidente sentiu depois daquela fatídica reunião não se dissipou – em vez disso, permaneceu, e teve efeitos duradouros em seu *mindset* e no de seu departamento. Também infectou o resto da equipe e complicou as relações de trabalho entre seus subordinados e os outros líderes.

Embora o vice-presidente deva estar plenamente ciente das nuances políticas e culturais de liderar dentro da organização, igualmente importante é não carregar o passado como um fardo grande e pesado. O que esse VP precisava era reformular o acontecimento passado e recuperar seu futuro pretendido no contexto das implicações culturais.

Ser seu maior crítico

Durante relatórios anuais, os líderes e funcionários podem ouvir dez elogios à performance que tiveram ao longo do ano e um ponto que devem melhorar. Mais de 80 por cento dos meus clientes me dizem que, depois de ouvir tudo, eles focam no ponto que devem melhorar e descartam os elogios. Isso é o mesmo que dirigir com um pé no acelerador e outro nos freios: não é a estratégia correta para melhorar a performance. Aliás, isso garante uma queda da performance e diminui o nível pessoal de satisfação e eficácia.

O dilema é que todo mundo ouve duas estações de rádio mentais diariamente. A primeira delas emite mensagens positivas e afirmativas, como: "Você é muito talentoso. Você é excepcionalmente bom em transformar ideias complexas em ideias práticas e aplicáveis". A outra estação não é nada agradável de se ouvir, pois passa mensagens como: "Quem você pensa que é? Você não pode fazer isso. Você não é nem metade de tudo o que acha que é". Seja qual for a estação que escuta, o fato é que ela influencia fortemente a mensagem que você emite para os outros. E é aí que a porca torce o rabo. Infelizmente, essa segunda estação de rádio fica no ar mais tempo do que a primeira. Ademais, funciona em uma frequência bem mais alta. De fato, estamos tão acostumados a ouvir mensagens negativas em nossas mentes que pensar positivamente sobre nós mesmos é considerado um ato desmedido de arrogância. Se nos sentimos assim conosco, pense então nas implicações que suas mensagens podem ter em seus funcionários e consumidores.

Evidentemente, isso não poderia estar mais distante da verdade. Autoagressão não torna ninguém melhor. Você tem a capacidade de ser seu maior defensor ou seu maior crítico. Todos os dias você se levanta da cama e faz uma escolha: qual estação de rádio vai sintonizar? Se sintoniza a estação que passa mensagens negativas em sua mente, é chegada a hora de mudar de estação. Ao fazer um balanço daquilo em que presta atenção durante o dia, você pode determinar se prefere que as mensagens negativas ou as mensagens positivas fiquem mais tempo no ar. Se está ouvindo com mais frequência seu maior crítico do que seu maior defensor, então está claro como o sol que você precisa tomar uma atitude e definitivamente mudar. A boa notícia é que, tão logo se comprometa a mudar o foco para as perspectivas (as notícias) positivas, você começará a criar uma experiência diferente para si – e também para aqueles que estiverem ao seu redor. Você terá mais elogios e reconhecimento a oferecer se mudar seu *mindset* para aquilo que está funcionando. Enquanto executivo, é de sua responsabilidade certificar-se de que seu *mindset* esteja sintonizando a estação de rádio apropriada e que você, portanto, esteja transmitindo seu *mindset* adequadamente para os outros.

Viver com medo

Muitos de nós vivemos com medo quando se trata de nossa vida empresarial. Para alguns, trata-se de um medo relacionado a assuntos financeiros; para outros, a questão é emocional. Independentemente da fonte ou do tipo de medo, o fato é que o medo opera um efeito debilitante sobre nosso crescimento pessoal e profissional por longos períodos. O medo pode ser um catalisador da ação, mas o progresso acelerado jamais poderá ser alcançado sob a sombra de um *mindset* fundamentado no temor.

Algumas pessoas dizem que o medo pode ser um elemento positivo em nossa vida. Como já mencionamos, isso pode até ser verdade quando o assunto é ter uma dose saudável de precaução em detrimento de um comportamento altamente arriscado. Todavia, no mundo corporativo, deixar o medo assumir o controle é o principal fator que leva à autossabotagem. Quando demonstramos medo, jogamos para não perder em vez de jogarmos para ganhar.

Reflita por um momento sobre o que aconteceria se você vivesse sua vida sem medo ou agitação. E se você focasse sua energia emocional na tomada de abordagens proativas diante de desafios e na criação de soluções poderosas para problemas do trabalho e de casa? Suprimir um *mindset* fundamentado no medo é um ato libertador e extremamente empoderador.

No mundo corporativo, a performance diminui conforme o medo aumenta. Se a sua performance ou a de sua equipe está diminuindo, posso garantir que existe algum tipo de medo por trás disso e que a quantidade de elogios e de verificações do que vem dando certo está em queda. O medo pode assumir a forma de ansiedade diante de um novo trabalho ou responsabilidade. Pode decorrer também do temor financeiro causado por cortes orçamentais ou falta de recursos. Seja como for, o fato é que esse tipo de *mindset* contribui para uma perda de progresso na organização como um todo.

A melhor maneira de enfrentar o medo é identificar sua causa. Se for capaz de determinar a causa do medo, você poderá redirecioná-la e torná-la menos assustadora tanto para você quanto para sua equipe. Ao longo de meu trabalho com executivos como *coach* e mentor, descobri oito tipos de medo que são mais comuns para os profissionais de modo geral. Quais deles representam um desafio para você?

1. Medo de responsabilizar as pessoas.
2. Medo de cometer erros.

3. Medo de sair de um emprego que suga suas energias.
4. Medo de não ser visto como tão inteligente e bem-sucedido.
5. Medo de chatear seu chefe ou seus líderes seniores.
6. Medo de se desviar do sucesso atual para buscar um sucesso ainda maior.
7. Medo de investir em si.
8. Medo de tomar decisões.

Cada um desses pensamentos negativos habituais impede um líder de elogiar efetivamente. Em contrapartida, o que os funcionários ouvem é uma ladainha de pontos que devem ser melhorados sem uma lista correspondente do que está indo muito bem, obrigado. Essa narrativa unilateral é desencorajadora e leva a uma baixa performance, além de, naturalmente, drenar os talentos mais expressivos da empresa.

ONDE RARAMENTE OUVE-SE UMA PALAVRA DESENCORAJADORA

Os elogios ajudam as pessoas a sentir-se valorizadas, ouvidas e apreciadas. As pessoas que se sentem valorizadas, ouvidas e apreciadas realizam seus trabalhos com mais paixão e vontade, arriscam-se mais e crescem a taxas muito maiores do que aquelas pessoas que, por outro lado, não se sentem assim ou não são tratadas igualmente. Com isso, concluo meus comentários. É bem provável que você tenha algumas perguntas, portanto, permita-me discutir um pouco mais o assunto.

Em toda empresa, há muito potencial dos funcionários que permanece em estado de latência. Todo líder com o qual trabalhei acredita que seus funcionários são capazes de fazer mais do que fazem. Quando você pergunta aos funcionários se eles podem fazer mais, a resposta é um retumbante "sim". O fascinante é que, quando se pergunta aos funcionários por que eles não fazem o que são capazes ou ainda mais, a resposta número um é: porque eles simplesmente preferem assim. Trata-se de uma escolha. Eles poderiam fazer mais se quisessem, mas simplesmente escolhem não fazê-lo. A habilidade de ir além, mas decidir pelo contrário, é um grande ralo por onde escoa a performance. Por qual motivo, enfim, as pessoas não apresentam sua performance máxima? Seis são as razões para isso:

1. Nenhuma recompensa

As pessoas não apresentam sua performance máxima quando não são devidamente recompensadas por isso. Todo líder, equipe ou funcionário individual busca uma recompensa por seu trabalho. Pode ser um sentimento mais profundo de satisfação, realização, sucesso ou de fazer a diferença. Independentemente do modo como você analise isso, o fato é que os seres humanos são máquinas de fazer sentido, e na vida profissional queremos atribuir significado para o trabalho realizado. Será que ele tem sentido, é recompensador e tem valor? Será que meus esforços estão sendo apreciados e reconhecidos? Quando a resposta é negativa, a recompensa transforma-se simplesmente em receber um salário no final do mês. E o dinheiro já se provou não ser o maior dos motivadores.

2. Liderança sem inspiração

A palavra inspiração vem do latim *inspire*, que significa "soprar vida em alguma coisa". Quando não há vida na liderança de um líder, quando esse líder está se deixando levar pela maré e expondo sua missão, visão e valores sem de fato vivê-los, os funcionários ficam com a sensação de uma liderança sem inspiração, de uma liderança desestimulante. Sem dúvida, líderes desmotivados não podem criar funcionários inspirados, a menos que a inspiração seja desligar-se da empresa o mais rápido possível.

3. Tolerância à baixa performance

As pessoas não apresentam sua performance máxima quando existe uma tolerância ao baixo desempenho, sem quaisquer tipos de responsabilização. Sim, mesmo diante do mantra corporativo "fazer mais, fazer melhor, fazer mais rápido e fazer mais barato", a baixa performance é tolerada quando um líder faz vista grossa à inabilidade de seus funcionários de aprender, crescer e mudar, embora espere e exija que eles aprendam, cresçam e mudem. Ademais, as pessoas não apresentam sua performance máxima quando olham ao redor e veem líderes e outros funcionários apresentando performances pífias e, mesmo assim, não sofrendo quaisquer consequências. A mensagem que isso passa é: se não renderem o suficiente, comportarem-se mal ou sem ética, não cumprirem os prazos ou perderem um grande cliente, é provável que sequer sejam advertidos.

4. Expectativas dúbias

As pessoas não apresentam sua performance máxima quando as expectativas não são claras. Os líderes que não reservam espaço para pensar claramente criam mais confusão e ambiguidade do que pretendem. Quando um líder diz: "Quero que você cuide do projeto X", o mesmo problema que encontrei em três continentes diferentes, sete países e 43 estados dos Estados Unidos é que o verbo *cuidar* não é claro. O que *cuidar* significa para um líder e o que *cuidar* significa para um funcionário? Quando os líderes são claros sobre os resultados desejados, as demandas operacionais do calendário, as responsabilidades, os papéis, a autoridade, há *clareza* em vez de dubiedade. Construí uma empresa de consultoria próspera em torno da palavra *clareza*.

5. Falta de respeito ou confiança

As pessoas não apresentam sua performance máxima quando seus colegas de trabalho e líderes não fazem o que dizem que farão ou não possuem o talento ou habilidade para fazer o trabalho que supostamente deveriam fazer. A confiança tem a ver com credibilidade e o respeito tem a ver com talento e habilidade. Quando um funcionário ou líder não possui respeito e confiança, a relação fica abalada – assim como a possibilidade de se ter uma performance acelerada.

6. Falta de investimento no desenvolvimento do funcionário

As pessoas não apresentam sua performance máxima quando os investimentos em um *mindset* aprimorado e no conjunto de habilidades são adiados ou eliminados do horizonte de ações. A maneira mais rápida de fazer a liderança de um líder e seus resultados crescerem drasticamente é trabalhando com um *coach* de liderança. Embora isso possa parecer uma autopromoção, eu também venho crescendo de forma acelerada porque meu *coach* e mentor é um observador perspicaz de meu trabalho, portanto, é capaz de me fornecer insumos que alimentam novas ideias, perspectivas, informações, *insights* e táticas para a aceleração da performance que, sozinho, eu jamais conseguiria ter.

Essas seis razões por que as pessoas não apresentam sua performance máxima podem ser enfrentadas de maneiras poderosas e substanciais. No Princípio do Elogio você aprenderá a elogiar as pessoas de maneiras concretas, sinceras e oportunas, de modo a afirmar o oposto das oito razões apresentadas anteriormente e, no lugar delas, criar as nove razões por que as pessoas escolhem mostrar seu pleno potencial.

Você também aprenderá que a prática do elogio é irmã de uma habilidade chamada "purificação". Quase como um filtro de água que elimina as impurezas e deixa a água segura para ser consumida, você também irá purificar os aspectos de sua liderança que o impedem de realizar seu propósito, suas promessas e seus projetos.

Ao aprender como elogiar e purificar sua liderança, você construirá nos funcionários a confiança em si próprios e em sua liderança; irá estimular a experimentação, a assunção de riscos e o aprendizado na medida em que também infundirá expectativa e otimismo em todo o seu ambiente de trabalho. De forma inequívoca, você extrairá o que há de melhor não apenas nos outros, como também em si mesmo.

REDUÇÃO DO JULGAMENTO E CULTIVO DA CORAGEM E DA CURIOSIDADE

Todo domingo, no país inteiro, há aproximadamente 350 mil fãs delirantes que se espremem nos estádios para ver seu time de futebol americano favorito jogar e outros 20 milhões que acompanham tudo pela TV. Aqueles que vão aos estádios torcem veementemente, fazem dancinhas e participam de gritos ensaiados sempre que seu time faz alguma coisa que eles veem como benéfica para ganhar o jogo. Essas pessoas fazem isso para desmoralizar o adversário, incentivar seu time a buscar a vitória e recompensar os esforços hercúleos dos maiores talentos do esporte. Você pode, pela primeira vez, participar de um evento com um amigo e se deparar com uma pessoa normalmente submissa no dia a dia passar por uma transformação do tipo "o médico e o monstro" quando, com o perdão do trocadilho, há esportes em jogo.

Por que o mesmo executivo que grita e torce com completos estranhos aparece no trabalho e só bate palmas tímidas quando a equipe dele faz algo igualmente benéfico? Será que os eventos de esportes acompanhados por 60 mil pessoas liberam algum tipo de paixão primitiva? Ou será que é porque a resposta emocional se dissipa no meio da multidão de torcedores e fãs em polvorosa? Seja qual for a razão, afirmo que os líderes que levam reconhecimento entusiástico e elogios para suas equipes de trabalho impulsionam seus colaboradores rumo à vitória, põem a termo tudo e qualquer coisa que represente uma oposição e recompensam os esforços vigorosos que alguns dos funcionários empreenderam para realizar o trabalho.

Não estou sugerindo gritos de torcida organizada. O que estou sugerindo é cultivar um *mindset* baseado no elogio que recompense a expressão de paixão benéfica, inovação e crescimento. Para que isso de fato aconteça, há três aspectos do elogio que devem estar presentes:

1. **Elogio sincero.** O elogio que é mecânico, obrigatório e/ou rotineiro degradará a credibilidade do líder, pois será visto como artificial e encenado e, consequentemente, alimentará uma distância entre a pessoa que elogia e a pessoa que é elogiada.
2. **Elogio apropriado.** O elogio mais poderoso é o que é realizado no momento oportuno. Surpreender funcionários

e colegas de trabalho realizando algo notável e comentar imediatamente aumenta o bem-estar não apenas da pessoa que recebe o elogio, mas cria uma cultura na qual a apreciação e o crescimento contínuo transformam-se em valores estratégicos.

3. **Elogio específico**. Elogios genéricos, do tipo "bom trabalho!", perdem a cor quando comparados a elogios específicos, como: "Seu trabalho de gestão de projetos no projeto de Carson foi de extrema ajuda.Você abraçou nosso objetivo estratégico de melhorar a experiência de nossos consumidores e deixar o cliente confiante e à vontade com sua performance. Eles disseram que adoraram trabalhar conosco. Foi realmente um trabalho excelente".

OS BENEFÍCIOS DO ELOGIO

O elogio agirá como um catalisador para níveis ainda mais elevados de sucesso quando esses três aspectos estiverem presentes. Os funcionários e os colegas de trabalho sabem se um líder está prestando atenção ao que eles estão fazendo, e elogios sinceros criam um círculo virtuoso de *feedbacks* no qual o que é notado e recompensado só aumenta exponencialmente.

O elogio também não é reservado apenas para os funcionários. Os líderes beneficiam-se da avaliação de sua liderança pessoal e da identificação daquilo que eles fizeram bem e daquilo pelo que merecem ser elogiados. Isso equivale à teoria do "coloque sua máscara de oxigênio primeiro".

Embora os benefícios do elogio sejam significativos, para colher os melhores resultados a apreciação deve ser equilibrada e oferecer um *feedback* que seja ao mesmo tempo positivo e construtivo. Esse é o segundo aspecto do elogio, o qual denomino "purificação". Vamos abordá-lo no próximo capítulo. Por enquanto, é importante reconhecer que alguns líderes podem sentir que o elogio não é necessário e que a qualidade do trabalho é uma prova de expectativas alcançadas. Para aqueles de vocês que se sentem desconfortáveis elogiando ou para aqueles que veem o elogio como um exagero desnecessário, considerem o seguinte: os funcionários que receberam elogios recentemente são mais engajados em seu trabalho, demonstram uma produtividade crescente, manifestam uma taxa mais alta de satisfação do consumidor e apresentam melhores registros de segurança. Os benefícios do elogio são, portanto, significantes.

Para desenvolver melhor essa habilidade fundamental, é importante que você identifique a forma como enxerga o elogio. Em uma escala de 1 a 10, sendo 1 "não concordo" e 10 "concordo plenamente", avalie sua posição de acordo com as seguintes dimensões do elogio:

1. Não tenho problemas em fazer elogios sinceros, oportunos e específicos e em demonstrar reconhecimento a um funcionário ou colega de trabalho.
2. Estou sempre em busca de oportunidades e maneiras de reconhecer as contribuições das pessoas com as quais trabalho.
3. Sou visto como uma pessoa que repetidamente demonstra apreciação por trabalho que seja valioso e digno de nota.
4. Procuro deliberadamente relacionar realizações individuais a propósitos, prioridades e promessas departamentais/organizacionais.
5. Procuro de forma ativa maneiras de insuflar confiança, esperança e otimismo na habilidade de uma pessoa para fazer um trabalho revolucionário.

6. Aprecio descobrir formas de celebrar o sucesso individual ou da equipe.
7. Ouço com a intenção de compreender e não simplesmente de responder.

Se você e eu estivéssemos sentados um diante do outro, eu pediria para ouvir seus resultados e, em seguida, faria as seguintes perguntas:

- Qual das sete dimensões recebeu a classificação mais alta segundo sua autoavaliação? Por quê?
- Qual das sete dimensões do elogio recebeu a classificação mais baixa segundo sua autoavaliação? Por quê?
- Quais observações ou *insights* você seria capaz de extrair a partir das respostas que deu às sete dimensões do elogio?
- Qual classificação entre as atribuídas às sete dimensões do elogio você gostaria de aumentar drasticamente?

A avaliação das dimensões do elogio não é um teste em que se passa ou não; tampouco se baseia em critérios de certo ou errado. Trata-se, pois, de uma avaliação de verificação para que você descubra como vê o elogio e determinar se possui uma oportunidade de ser um catalisador para o *mindset* que pode impulsionar tanto você enquanto líder quanto a sua equipe. Para tanto, independentemente dos resultados de sua autoavaliação, há 11 recomendações de como aumentar a eficácia de seus elogios como um valor estratégico. Com base nas respostas que você deu na avaliação das dimensões do elogio, as seguintes orientações vão ajudá-lo a melhorar sua habilidade de elogiar.

Elogiar sinceramente

1. Se você tem alguém em alta conta, diga a essa pessoa por que o que ela fez foi importante para você. Fale sobre o que ela fez e como foi essencial para a empresa e para o alcance dos resultados desejados, mas personalize o elogio compartilhando o valor que você, na posição de líder, experimentou. Quando o assunto é elogiar, lançar mão de uma estratégia de personalização é o fator mais importante. A pergunta de um milhão de dólares é: "Como a ação pela qual você está me elogiando o ajudou ou beneficiou?".
2. Sempre elogie com a intenção de encorajar a pessoa sendo elogiada, porque é justamente esse o fundamento da apreciação. O ato de elogiar não tem a ver com riscar um item de sua lista de afazeres, mas, sim, com ajudar alguém a ver a si mesmo como valioso e apreciado. Abraham Lincoln acreditava que o melhor resultado de uma conversa não era provocar a admiração do interlocutor, mas fazer com que a pessoa saísse com uma sensação de bem-estar consigo mesma. O elogio insufla autoconfiança e uma crença nas infinitas possibilidades.
3. Relacione seus elogios a seu propósito e entenda a importância disso para você enquanto líder. Se não for capaz de relacionar o que alguém fez ao motivo de você achar essa ação importante, o elogio pode tornar-se teórico e artificial. Faça a ligação e você não apenas será mais sincero, como também se verá mais empenhado em fazer elogios que estejam alinhados com o que você acredita.
4. Lembre-se de que o elogio que você faz é plantado no solo fértil da memória de alguém – no caso, a pessoa que recebe a apreciação. Essa semente enraíza e cria crenças positivas ou crenças negativas. Seu elogio pode ser alimento para uma

cultura por vezes sedenta de apreciação. Existem algumas pessoas malvadas, sórdidas, perversas e cruéis andando pelos corredores de sua empresa, mas existem outras que estão esgotadas e não conseguem oferecer uma palavra de encorajamento porque sua reserva de elogios está vazia.

Antes de seguir e ler a próxima seção, que trata da oportunidade, reserve dois ou três minutos para identificar três pessoas (funcionários, colegas, líderes) que fizeram algo valioso e benéfico. Planeje conversar com essas pessoas dentro das próximas 72 horas para expor de forma sincera o elogio que elas merecem.

Elogiar oportunamente

1. Para que seu elogio seja oportuno, é necessário que você esteja bastante atento. A oportunidade tem suas raízes na conveniência do momento e no ensejo de se estar à procura de pessoas realizando trabalhos valiosos. Sim, você provavelmente precisa correr de uma reunião para outra e ainda tem 200 e-mails gritando por atenção na tela de seu computador ou celular, mas tenha em mente que as pessoas que realmente interessam estão continuamente observando-o e pescando pistas em seu comportamento. Se não for conhecido por prestar atenção e inteirar-se em tempo real do que está acontecendo em sua empresa, você perderá a oportunidade de se tornar um ímã para as pessoas certas que estão realizando trabalhos importantes e, consequentemente, perderá também a oportunidade de multiplicar essa experiência revolucionária.
2. A oportunidade é um multiplicador do elogio. A oportunidade intensifica e amplia o impacto do elogio. Se você é elogiado quatro semanas depois de realizar uma tarefa notável,

esse reconhecimento será importante, evidentemente, mas se feito de forma rápida, o elogio é acionado em memórias recentes. Isso, por sua vez, intensifica seus efeitos e o torna mais visceral.

3. Não confie em sua memória. Quanto maior o intervalo de tempo entre sua observação de um acontecimento notório e o elogio respectivo, menor é a quantidade de detalhes e especificidades que você terá. Além disso, você também perderá uma quantidade razoável do entusiasmo, pois o tempo turva um pouco seus sentimentos e suas memórias.

AVALIAÇÃO DA OPORTUNIDADE

1. Pense no dia de ontem. Você vivenciou alguma coisa digna de ser elogiada? Se sim, o que foi? O que você pode dizer amanhã para a pessoa responsável por esse trabalho ou ato para comunicar o valor que você percebeu ontem? Quando você dirá isso a ela? Seja específico.
2. Pense na última semana ou mês e identifique uma oportunidade que perdeu de elogiar alguém. Qual foi o resultado do desperdício dessa oportunidade? O que você faria diferente? Qual poderia ter sido o resultado caso você tivesse aproveitado a chance e elogiado essa pessoa?

Elogiar especificamente

1. Nunca deixe de compartilhar o motivo por trás do elogio que você está tecendo. Explique por que o que a pessoa fez é importante para você, para o consumidor, para um projeto importante ou para os colegas. Quanto mais específico você for em seus elogios, maior será seu impacto. Pense no elogio

como um laser que você direciona no meio da agitação do dia a dia e mira no propósito, nas promessas ou nas prioridades que você considera mais importantes.

2. Relacione o elogio que você tece com as expectativas, sonhos e/ou aspirações pessoais e profissionais do interlocutor. Isso demanda que você, na posição de líder, saiba o que é importante para a pessoa em questão, então a especificidade de seu elogio será mais recompensadora para a pessoa e mais satisfatória para você. Por exemplo: "Janet, sei que pediu uma oportunidade para liderar uma equipe em projetos estratégicos. Seu trabalho de hoje confirmou que preciso atendê-la o mais breve possível. Quando apresentou à equipe de executivos a meta do projeto e os resultados, eles adoraram a convicção e a clareza que você demonstrou e ficaram entusiasmados. Isso é exatamente o que estamos procurando para nossa equipe de líderes. Vamos reservar uma hora para discutir mais profundamente quais oportunidades estão disponíveis e qual delas pode ser a mais adequada a seu perfil".
3. Relacione seu elogio ao aprendizado, crescimento e inovação contínuos. Um colega meu, Brian Walter, certa vez me disse que usa uma ideia "valomercial" com seus clientes. Uma ideia "valomercial" é semelhante a um comercial de 30 segundos, mas seu foco é o valor mais importante para uma equipe ou empresa. Por exemplo, usando o exemplo anterior de Janet, um líder pode começar ou terminar uma reunião de equipe com a seguinte mensagem: "Antes de começarmos, quero que todos saibam que Janet fez um trabalho excelente na apresentação do projeto à equipe de executivos ontem. O que tornou a apresentação

tão atraente foi a explicação que Janet deu sobre o valor dos consumidores, dos funcionários e do resultado que alcançaremos. Foi uma exposição perspicaz, precisa, clara e envolvente. Quero que demonstrem apreciação quando a encontrarem e vamos reservar 20 minutos em nossa próxima reunião para revisar seu trabalho bem-sucedido. É importante que todos nós sejamos objetivos, precisos e convincentes, e podemos aprender essa lição com Janet. Certo, agora, vamos voltar à nossa agenda".

4. O elogio é o combustível do crescimento revolucionário tanto para você na posição de líder quanto para sua equipe. As recomendações listadas aqui podem ter um impacto positivo em sua liderança se você as implementar com sinceridade, oportunidade e especificidade. Vamos observar o outro lado da moeda. Na próxima seção, você aprenderá sobre o processo de purificação.

SUA VIDA É UMA ESTÁTUA DE DAVID E VOCÊ É MICHELANGELO

No trabalho que fizemos até aqui, revisamos os aspectos recompensadores e afirmativos de elogiar funcionários e colegas de trabalho que estão realizando um trabalho importante e valoroso. Agora, vamos mudar nossa perspectiva e inverter o processo de elogio. O complemento do elogio é a purificação; seu objetivo é ajudar-nos a identificar as áreas que estão impactando negativamente nossa performance e construir nossa credibilidade enquanto líderes. A purificação diz respeito à remoção de obstáculos e barreiras que possam porventura estar atrapalhando a realização plena de uma performance excelente, seja no que se refere aos líderes em si, seja no que concerne a seus funcionários, colegas e equipes que coordena.

Os líderes revolucionários isolam um ou dois comportamentos prejudiciais ou nefastos e trabalham para eliminá-los. Embora o ato de elogiar assegure um progresso crescente com expectativa e otimismo, a purificação é frequentemente associada a tradições de fé e envolve a abstinência ou o jejum como parte de uma prática espiritual. Abster-se ou jejuar dá aos devotos uma oportunidade de deixarem de lado os aspectos humanos de sua existência ordinária e refletir mais a respeito de grandes questões que envolvem os dogmas e princípios da fé que professam. De um ponto de vista medicinal, a purificação envolve a abstinência como um meio de desintoxicar o corpo das impurezas de toxinas encontradas em nosso meio ambiente e, em alguns casos, nos alimentos que ingerimos.

Neste livro, a purificação ajuda os líderes a deixarem de lado as exigências do trabalho cotidiano e a considerarem as questões maiores que envolvem a liderança. Ao fazer isso, nos desintoxicamos de todas as impurezas que possam porventura limitar nossa performance. Quando vista em um contexto mais amplo de liderança revolucionária, a purificação irá ajudá-lo a realizar três coisas: você verá a liderança como uma atividade coletiva; você conhecerá o poder transformador de desenvolver uma curiosidade genuína em relação ao impacto de sua liderança nos colegas de trabalho; e você identificará rapidamente as coisas que não sustentam seu propósito, suas promessas ou suas prioridades. Essas três realizações transformam seu comportamento de modo a permitir que você alcance resultados cada vez melhores.

Nesta seção, você aprenderá a melhor maneira de purificar não apenas a sua liderança, mas também a liderança e a performance de terceiros. Para tanto, há três fatores-chave que você precisará levar em consideração para que o processo de purificação produza resultados positivos:

1. Abrace a purificação com curiosidade e acima de quaisquer julgamentos.
2. Lute por novos conhecimentos e discernimentos.
3. Mobilize a regra do um por cento.

O processo de purificação encoraja os líderes a se tornarem especialmente curiosos a respeito de aspectos de sua liderança que não têm entregado os resultados esperados. Não se trata simplesmente de descobrir o erro e punir-se por ele. O julgamento retarda a resolução criativa dos problemas, ao passo que a curiosidade é um aspecto saudável de estabelecimento de metas e de busca por melhorias. De modo similar ao que vimos no Princípio do Elogio, a Avaliação da Purificação é uma ferramenta formidável no processo de determinação do seu ponto de vista pessoal sobre a purificação. Em uma escala de 1 a 10, sendo 1 "não concordo" e 10 "concordo plenamente", avalie sua posição de acordo com as seguintes dimensões da purificação:

1. Desafio crenças e postulados comuns a respeito do crescimento e da performance.
2. Sempre me pergunto como posso melhorar o que faço e como faço.
3. Sempre observo pessoas de fora de minha empresa a fim de aprender e crescer com elas.
4. Não tenho problemas em articular uma relação entre o crescimento individual e o crescimento departamental e/ou organizacional.
5. Frequentemente tento conversar sobre como deveria ser um ótimo trabalho e como fazê-lo.

6. Aprecio descobrir jeitos novos e melhores de servir ao meu consumidor.
7. Frequentemente aprendo mais com meus erros do que com meus sucessos.

Como indagamos na seção anterior, qual das sete dimensões recebeu a classificação mais alta segundo sua autoavaliação? Por quê? Qual das sete dimensões recebeu a classificação mais baixa? Por quê? Quais observações ou *insights* você seria capaz de extrair a partir das respostas que deu às sete dimensões? Qual das sete dimensões da purificação você gostaria de aumentar drasticamente?

Por favor, lembre-se: as avaliações aqui não são instrumentos de teste nas quais devemos passar ou não; tampouco são baseadas em critérios de certo ou errado. Na realidade, são como pontos de partida para que você descubra como enxerga pessoalmente a purificação e se tem feito algo para movimentar-se e movimentar sua equipe. Trata-se, pois, de algo semelhante a quando Michelangelo criou seu David. Ele disse que, para criar uma obra de arte como David, começou removendo tudo o que não combinava com sua imagem hipotética do herói bíblico. Você é convidado a fazer o mesmo. Tomadas juntamente com suas respostas à avaliação, as seguintes recomendações irão ajudá-lo a refletir sobre como começar a aplicar o processo de purificação.

Purificar com curiosidade

1. Lembre-se: todo ser humano faz o que faz por uma razão. Não sabemos qual é essa razão na maior parte do tempo, mas, até descobrirmos, não podemos compreender racionalmente os comportamentos que vemos. Esse processo exige curiosidade quanto àquilo que vemos e quanto às causas, motivos e razões para tal. Exige, ademais, ausência

de julgamentos. Sem a curiosidade, não podemos olhar para situações confusas e tentar de forma séria e rigorosa racionalizá-las. O julgamento, por sua vez, faz com que frequentemente coloquemos as pessoas e as situações em caixinhas que, embora práticas, não passam de generalizações e estereótipos.

2. Pare, olhe e faça perguntas com alto teor de qualidade. Ao mudar a qualidade das perguntas que faz a si próprio e aos outros, o valor das respostas aumentará exponencialmente. Por exemplo, uma pergunta bem elaborada seria assim: "Tenho absoluto respeito por Bill, mas fui extremamente ácido na crítica que fiz a seu trabalho. Por que eu disse aquilo na reunião da equipe?". Já uma questão de qualidade inferior seria: "Por que eu disse aquela estupidez na reunião da equipe?". Uma decorre da curiosidade; a outra, do julgamento.
3. Seja legal consigo. Quando usa o princípio da purificação, fale consigo mesmo da mesma forma que falaria com um amigo que tem em alta conta. Reconheça que há momentos para consolação e momentos para amor, e que a maioria das pessoas são seus críticos mais duros e julgam a si mesmas de forma muito severa. Quando isso acontece, a habilidade de fazer perguntas com alto teor de qualidade praticamente desaparece e intromete-se na conversa aquele sargento dos infernos cujo único objetivo é garantir sua autodestruição. Não permita que essa pessoa entre em sua vida.

Purificar para ter conhecimento e discernimento

1. Relaxe. A recomendação número um é: não se leve tão a sério. Embora você queira melhorar e viver seu propósito de uma

forma mais completa, tente não ficar tão preso a seus erros. A habilidade de ver-se claramente é um aspecto incrivelmente importante de sua liderança; sua credibilidade é fundamental e evidentemente deve ser encarada com seriedade. Todavia, também é crucial a habilidade de rir de si próprio e de seus erros. Quando você se permite esse comportamento, dá às pessoas a habilidade de observarem mais atentamente os próprios erros e tomarem atitudes de correção necessárias para minimizá-los.

2. A purificação exige disciplina. Conhecimento e discernimento são resultados de disciplina e demandam uma prática contínua. Quando você segue um programa de exercícios, quanto mais pratica, mais fáceis as séries se tornam. Isso também é verdade quando se trata de elogios e purificação. Quanto mais você exercita ambos, mais imprime na memória muscular o processo de deliberadamente realizar um inventário de seus ativos e passivos. Se deseja ser um líder mais eficiente, um colega de equipe ou um funcionário melhor, o conhecimento de suas forças e de seus pontos-cegos pode ser acelerado a partir do Princípio do Elogio.
3. Vá com calma. Para ganhar novos conhecimentos e ter um maior discernimento, você não pode atravessar o processo muito rapidamente, tampouco realizar várias tarefas ao mesmo tempo. Mario Andretti, o famoso piloto de Fórmula 1, certa vez disse: "Se tudo parece estar sob controle, você simplesmente não vai conseguir ir mais rápido". Isso é uma verdade nua e crua quando se trata de Fórmula 1. Os pilotos estão voando em uma pista a toda velocidade, mas também precisam diminuir e fazer *pit stops*, caso contrário, ficam sem combustível e param no meio do

caminho. Você também precisa parar às vezes – não permanentemente, mas com frequência suficiente para saber onde está e poder acelerar.

4. Procure padrões. Todos temos padrões em nossa rotina de trabalho. Podemos dirigir até nosso escritório pelo mesmo caminho e nos vestirmos sempre da mesma forma. Essa é uma maneira de pegar o trivial e transformá-lo em algo mais eficiente. Em nossos tempos, cada um de nós tem combustível mental suficiente apenas para tomar decisões e buscar a eficiência. Quanto menos energia nosso cérebro gastar com questões triviais, mais energia nos restará para empregar em questões superiores. Há padrões afetando sua vida? Você está participando de tantas reuniões que mal consegue se alimentar direito? Está ruminando à noite o trabalho que precisa fazer e dormindo poucas horas? Seu programa de exercícios foi prejudicado por causa de uma lesão no tornozelo e, por isso, você está sofrendo mais com estresse e ansiedade? Quais padrões você consegue identificar em si e nos outros? Tenha discernimento para saber qual é a causa desses padrões.

Purificar com a regra do um por cento

1. Viva um dia de cada vez. A regra do um por cento postula que melhorar um por cento ao dia em qualquer empreendimento resulta em uma melhora de 100 por cento em um período de 72 dias. (Nesse exemplo, estou usando a força do juro composto. Assim, conforme você constrói seu sucesso diariamente, está acelerando rumo à meta de 100 por cento por meio da multiplicação em vez da adição.) A ideia de melhorar um por cento é atraente para a maioria de meus clientes, pois eles veem sua viabilidade a partir da busca de uma nova ideia, uma

nova perspectiva, ou uma conversa com um colega para discutir a otimização da experiência do cliente. Por intermédio de quaisquer meios necessários, os líderes revolucionários procuram se aprimorar no mínimo um por cento ao dia.

2. Foco no progresso. Se você é um neurocirurgião e acabou de abrir um buraco em meu crânio, eu, enquanto paciente, quero que seu trabalho seja perfeito. Por favor, vá trabalhar descansado e não discuta com a companheira antes de minha cirurgia, porque hoje é o dia de ser perfeito. Para todos vocês que não são neurocirurgiões, os outros 99,95 por cento que estão lendo este livro agora, o progresso é preferível à perfeição. Tenho ouvido pessoas em inúmeros papéis e cargos, nos mais diversos tipos de empresas, e todas elas me dizem que seu trabalho precisa ser perfeito. Concordo que se você é uma enfermeira, um contador ou um engenheiro aeronáutico, quero ter certeza de que está continuamente progredindo e que realizou seu trabalho corretamente. Mas jamais exigiria perfeição. Simplesmente não é possível. O perfeccionismo leva à procrastinação; o progresso leva à aceleração.
3. Determine seu foco. No Princípio das Promessas, conversamos sobre o número de prioridades que um líder pode realisticamente ter. Cheguei ao número mágico de três. Quando você concentra seu foco em três coisas fundamentais que está comprometido a realizar, a qualidade de seu objetivo, a clareza de seu pensamento e o valor de seus resultados aumentam consideravelmente. Quando você empreender os aspectos de purificação da liderança revolucionária, escolha suas prioridades e coloque-as a um quilômetro de distância. Você se sentirá mais satisfeito e mais bem-sucedido, algo que se espalhará por toda a sua empresa.

Na seção a seguir, em que falarei do tratamento de agenda, você aprenderá um processo simples de cinco minutos para transformar tudo o que aprendeu no Princípio do Elogio em ações reais e viáveis.

DIZER "NÃO" AOS OUTROS ENQUANTO JAMAIS ACEITA UM "NÃO" COMO RESPOSTA

A seção mais curta deste capítulo pode ser a de vida útil mais longa. O processo de tratamento de agenda é um processo ultracurto (cinco minutos) de revisão de seu dia enquanto líder revolucionário. Trata-se de um processo de descoberta de áreas de sua liderança que estão indo bem (e de acentuá-las) juntamente com um processo de descoberta de áreas que não estão indo tão bem quanto o esperado (e de reduzi-las ou eliminá-las). O tratamento de agenda é similar ao processo de se vestir para o trabalho todos os dias. Você tira as roupas que usou para dormir, toma banho e veste roupas limpas apropriadas para o dia que tem pela frente. Se não tem nenhuma reunião marcada com clientes ou consumidores, pode usar calças jeans. Se tem uma reunião importante marcada em sua agenda, pode usar calça social e um blazer. Em ambos os casos, você observa seu dia (sua agenda) e decide a melhor forma de se vestir.

O mesmo é verdade para o tratamento da agenda, com a diferença de que esse tratamento não ocorre pela manhã, mas ao final do dia, e exige de você menos tempo do que a primeira xícara de café ou de chá. Há duas versões e três passos simples para o processo de tratamento de agenda. A primeira versão é uma lista de checagem resumida, embora poderosa, que é feita diariamente e envolve reservar cinco minutos para responder a cinco perguntas.

A segunda versão envolve reservar de 20 a 30 minutos uma vez por semana e uma vez por mês para revisar suas observações anteriores e discernir os passos seguintes que podem ser mais adequados, poderosos, eficazes e assertivos. O poder da segunda versão vem dos dados que você armazenou e da adição de mais perguntas. Mas, primeiro, eis as cinco perguntas:

1. Em que ponto obtive mais sucesso hoje com relação a meu propósito, minhas prioridades e minhas promessas?
2. O que me permitiu obter sucesso? Seja específico.
3. Em que ponto obtive menos sucesso hoje com relação a meu propósito, minhas prioridades e minhas promessas?
4. Quais conhecimentos posso tirar daquilo que me fez obter menos sucesso? Seja específico.
5. O que implementarei amanhã para usar os conhecimentos anteriores em meu benefício?

Se fizer isso diariamente durante 90 dias, terá investido 450 minutos de um total de 129.600. Isso equivale a 0,003 por cento dos minutos que viveu. Mas você dorme um terço desse total, de modo que lhe restam 86.400 minutos. Isso significa que terá investido 0,005 por cento de seu tempo. Esta é uma fração do tempo que você tem disponível, mas, como a parábola do grão de mostarda que move montanhas, o tratamento da agenda pode, com um *mindset* de paixão, inovação e crescimento, mover a montanha que é sua liderança de modos satisfatórios e bem-sucedidos.

Portanto, qual é a diferença entre a primeira e a segunda versão? A segunda versão exige dois passos e duas perguntas adicionais. Você deve reservar 30 minutos durante o fim de semana para revisar sua agenda globalmente. Pense nisso como o final do tempo de um jogo. Em resumo, o que foi bem quando você pensa na semana como um todo em oposição aos dias pensados isoladamente? Você fará as mesmas perguntas que fez a semana toda, mas com uma pequena diferença: deverá trocar "hoje" pela expressão apropriada, que, no caso da segunda versão do processo, será "esta semana".

O principal objetivo nesse caso é ver sua semana de forma holística e em totalidade, em oposição aos dias vistos de forma individual. Ao fazer isso, você irá desviar seu olhar das exigências de seu cotidiano e observará tudo com mais vigor e foco a partir de uma perspectiva mais ampla. Irá expandir sua visão periférica e enxergar os rincões de sua semana; irá pensar ainda com mais clareza a respeito daquilo que quer realizar na semana seguinte.

Permita-me falar por um momento com minha personalidade do tipo A, que é difícil de lidar e tem uma tendência a ser proativa e imediatista. Sei que você é um executor nato e pode facilmente se mobilizar para agir e, de inúmeras formas, possui um *mindset* baseado no "Sim, eu posso e vou". Quero você como parte de minha equipe por conta de quem você é e da forma como faz as coisas.

Mas, e isso poderá parecer um contrassenso, se você quer ir mais rápido, precisa ir mais devagar por cinco minutos. Se empreender o processo de tratamento de agenda, será capaz de mover o ponteiro em questões cruciais com mais eficácia. Ao reservar cinco minutos todos os dias para responder às questões previamente elencadas nesta seção mediante o prisma do elogio e o da purificação, suas ações e as ações de sua equipe se tornarão focadas e permitirão que você acelere rumo ao destino que tem como meta. Tudo que lhe peço é 0,005 por cento de seu tempo, e você verá como funciona.

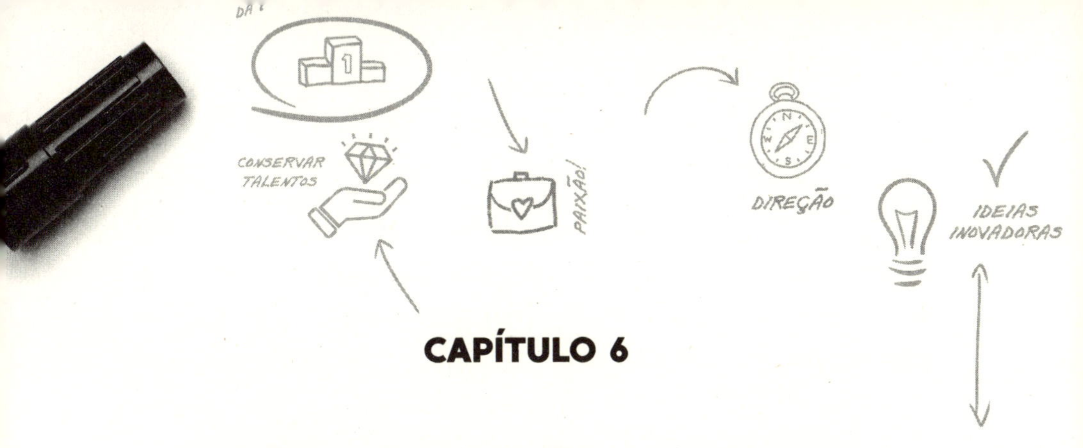

CAPÍTULO 6

O Princípio da Perseverança

O TALENTO É TÃO COMUM QUANTO O SAL DE COZINHA E PODE ARRUINAR SEU JANTAR

Conheci líderes excepcionalmente inteligentes e talentosos que, quando confrontados com algum tipo de adversidade, desmoronavam como um castelo de cartas em um vendaval. Também conheci outros líderes cujo talento e brilhantismo eram menos proeminentes, mas que perseveraram em meio a inimagináveis adversidades com o objetivo único de serem bem-sucedidos. Depois de todo o meu trabalho como consultor e *coach*, cheguei enfim à conclusão de que, quando se trata de uma performance que seja de fato revolucionária e transformadora, o talento é supervalorizado e a perseverança é subestimada.

A perseverança é demonstrada de forma proeminente no mundo da política, dos negócios e dos esportes. Na política, Abraham Lincoln falhou em ser eleito e reeleito 12 vezes antes de finalmente se tornar Presidente dos Estados Unidos da América. Sir James Dyson realizou 5.127 experimentos ao longo de cinco anos até finalmente desenvolver seu aspirador de pó com separador ciclônico, e hoje em dia sua marca de aspiradores possui um patrimônio líquido equivalente a cinco bilhões de libras. O dono da equipe de basquete Dallas Mavericks, o multibilionário Mark Cuban, ficou

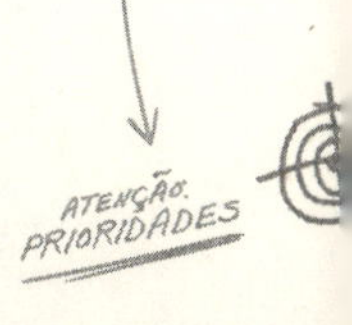

conhecido por trabalhar até as 2 da madrugada e não ter tirado férias durante sete anos. E há ainda atletas de imenso sucesso cuja estatura ou cujo talento, por si só, não faziam supor que se tornariam as superestrelas que são hoje. Pense em Michael Jordan, Serena Williams, Russell Wilson e Wayne Gretzky. Eles são talentosos? Certamente. Eles foram ou são atualmente os atletas mais esforçados do mundo no esporte que praticam? Certamente.

Cada um desses atletas nasceu com dons e talentos, mas sem uma ética de trabalho que envolvesse muita disciplina e perseverança suas habilidades jamais alcançariam o potencial de hoje em dia. Russell Wilson é baixo demais para jogar na NFL, mas ele ganhou o Super Bowl em seus três primeiros anos na liga devido a um *mindset* fundamentado em: "Meu objetivo para o ano de 2016 é ganhar. Ganhar tudo de que participar". Wayne Gretzky tinha a estatura e o peso adequados para ser um jogador de hóquei e, ademais, boa intuição. Entretanto, sua intuição foi aperfeiçoada pelo imenso número de horas que ele passou treinando no gelo. Serena Williams certa vez disse a seguinte frase impactante a respeito do sucesso: "A sorte não tem nada a ver com o sucesso, pois passei muitas, muitas horas, horas incontáveis na quadra trabalhando para ter minha chance, sem saber quando e se ela chegaria".

De todos os princípios que abordamos até agora neste livro, o Princípio da Perseverança é aquele onde a coisa se complica. É o princípio que faz as seguintes perguntas: "O quanto desejo meu propósito? Vou superar todos os obstáculos que com certeza aparecerão? Será que vou conseguir não aceitar um não como resposta? Será que vou enxergar além do medo de errar que provavelmente aparecerá e ter a coragem necessária para continuar?". Minha hipótese é de que, quando você articula uma grande ideia, expectativa, sonho ou aspiração, você encara sua perseverança com paixão.

A GUERRA POR TALENTOS

O termo "guerra por talentos" vem circulando nos meios empresariais nas últimas duas décadas. Trata-se de uma advertência para executivos e empresários que postula que, não importa a grandeza de uma ideia, produto ou serviço que você porventura tenha, a realização de seus objetivos estratégicos apenas acontecerá quando você estiver em posse dos talentos certos. Sim, o talento é um elemento essencial no sucesso de todos os líderes, pois o sucesso jamais, em hipótese alguma, é resultado de uma atividade solitária.

Se você é como a maioria dos líderes com os quais trabalhei em minha longa jornada como conselheiro e *coach*, provavelmente possui funcionários talentosos aos quais falta a perseverança necessária para superar as adversidades que naturalmente aparecem no caminho até a realização plena do objetivo. Você pode ter recrutado os melhores talentos e conjuntos de habilidades, mas negligenciado o recrutamento dos melhores *mindsets*. O CEO de um hospital com o qual trabalhei recrutou um dos cirurgiões mais proeminentes do estado. Seu talento era excepcional, assim como o amor que nutria por seu ofício. O que era igualmente excepcional era seu desdém pelo trabalho colaborativo dos colegas. Seu *mindset* era do tipo: "Sou o melhor cirurgião nesta especialidade de toda a costa leste". Embora isso fosse verdadeiro, sua crença em seu talento e reputação como cirurgião exemplar de sua especialidade deixava as demais pessoas em busca de cuidados médicos por conta própria. Sim, o talento é importante, mas igualmente importante é o que acontece na mente de cada pessoa.

Seu trabalho no papel de líder revolucionário e transformador é reconhecer que o talento, embora fundamental, obscurece em comparação com a perseverança. Sim, você quer ter funcionários talentosos, inteligentes e repletos de dons em sua equipe. Você também quer olhar ao seu redor e ter a certeza de que conta com profissionais virtuosos capazes de enfrentar batalhas com unhas e dentes para tomar iniciativas estratégicas. Você pode ajudar esses talentos a fazerem isso fundamentalmente oferecendo-lhes um propósito atraente. Você mesmo jamais alcançará resultados revolucionários sem reservas profundas de coragem e determinação. Na seção que virá a seguir, você aprenderá como perseverar diante da adversidade e como superar as quatro barreiras que o estão impedindo de realizar o melhor trabalho possível.

Nada acontece como em um passe de mágica, porém. Você descobrirá que o músculo a ser treinado mais do que qualquer outro é aquele que fica sobre seus ombros e entre as suas orelhas – seu cérebro. Na seção seguinte, abordaremos estratégias para cumprir mais essa tarefa.

POR QUE O CONSELHO DE WINSTON CHURCHILL PARA ESTUDANTES APLICA-SE AOS ADULTOS

A perseverança é um princípio interessante. O conceito de perseverança é bem conhecido e recentemente tem sido estudado e dissecado, e ainda atribuído ao modo como fomos criados. Será que aprendemos a controlar impulsos positivos quando crianças? Eu, pessoalmente, não aprendi a controlar meus impulsos positivos na infância. Quando eu tinha 12 anos, o médico da família disse que a minha falta de atenção na escola devia-se a meu Distúrbio de Déficit de Atenção (DDA). Isso podia ser verdade, mas havia áreas de minha juventude que me fascinavam e nas quais eu poderia facilmente mergulhar e me perder. Eu perseverava imensamente em assuntos pelos quais tinha algum interesse e com os quais, de certa forma, sentia identificação, e distanciava-me dos assuntos tradicionais. De inúmeras formas, aprendi a perseverança por meios contraditórios e fico feliz que isso tenha de fato acontecido.

Winston Churchill certa vez fez um discurso na escola em que estudou sobre como foram os últimos dez meses da Segunda Guerra Mundial para a Grã-Bretanha. Ele disse que a Grã-Bretanha tinha sido abandonada por seus aliados nos esforços de guerra e estava travando, sozinha, uma batalha contra a Alemanha. Ele disse: "Mas para todo mundo, certamente, do que realmente passamos naqueles tempos – estou me dirigindo à escola –, desse período de 10 meses a lição é esta: jamais desista, jamais desista, jamais, jamais, jamais, jamais – em hipótese alguma, diante de nada, grande ou pequeno – jamais desista de suas convicções de honra e de bom senso".

Mas como você jamais desiste? Será que fiando-se a uma força interna ou um passe de mágica? Particularmente, não acredito na existência de uma força de vontade plena ou em magia, mas de fato acredito em processos. O processo que uso é o mesmo de muitos atletas profissionais e que comprovadamente aumenta sua perseverança de modo significativo. Chama-se "Processo Avante" e exige que você responda às nove perguntas que colocarei a seguir.

1. **O que você quer?** Responder a essa pergunta é um ponto de partida para a perseverança. Reflita sobre o Princípio do Propósito que vimos neste livro. Qual é a grande ideia que você tem em mente para sua vida tanto no nível pessoal quanto no nível profissional? Esse propósito o deixa completamente empolgado? Ele o inspira? Você não vai perseverar se tiver uma ideia difusa e obscura sobre aquilo que deseja. Há milhões de pessoas por aí que possuem uma noção vaga do que querem. Mas não você. Com um foco cristalino, descreva o que você deseja.

2. **O que é importante para você nesse objetivo?** Quando abordamos o Princípio dos Projetos e o Princípio da Persuasão, pedi para que você fizesse a seguinte pergunta aos outros: "O que é importante para você em seu objetivo?". Agora essa pergunta está sendo feita para você. Se deseja o cargo de vice-presidente de vendas, o que é importante para você nessa promoção? Tenha em mente que suas respostas devem inspirá-lo e acender uma chama em seu interior. Se seguir cada um dos princípios que estou disponibilizando aqui e quiser ser recompensado com uma promoção para o cargo que almeja, qual será o retorno para você, para sua organização, para seus funcionários e para seus consumidores? Se suas respostas não são inspiradoras e o que você quer ou está fazendo é resultado de algum tipo de obrigação, isso se torna um trabalho longo, lento e árduo em um território inimigo. E isso irá drenar o seu ânimo e levá-lo ao fracasso.
3. **Do que você terá que desistir?** Não tenha dúvidas: o que você deseja exigirá que desista de alguma coisa. Pode significar que terá de sair do trabalho às 18 horas para estar em casa a tempo de jantar com sua família. Pode ser que precise parar de dar emprego para pessoas de que gosta e, em vez disso, empregar pessoas que não hesitam em classificar suas performances. Pode ser que precise abandonar tanto o *mindset* negativo que carrega quanto a necessidade correspondente a esse *mindset* de agradar aos outros. Quais são as três ou cinco coisas das quais precisará desistir? Liste-as e observe-as atenciosamente.
4. **O que você precisará aprender para ter sucesso?** Se precisa desistir de ser adorado ou estabelecer um padrão mais alto tanto para você quanto para sua equipe, onde aprenderá a fazer isso? A tensão que irá experimentar é um refluxo diante

daquilo que é conhecido e previsível, porém distante do desejado e imprevisível futuro. Qual livro, aula ou webinar você usará para aprender novos métodos?

5. **Quem você precisará manter ao seu lado?** Em paralelo à última pergunta, quem você precisará manter ao seu lado? Você não pode ser bem-sucedido na perseverança se estiver cercado por pessoas que querem o oposto de seus objetivos. Para muitos viciados, existe um período de tempo em que eles não podem ficar próximos de amigos ou familiares que bebem ou fazem uso de drogas. A força que os puxa de volta a seus dias de alcoólatras e usuários é tão forte que eles precisam se cercar de pessoas que estão, como se diz no movimento de recuperação, "trabalhando". Isto é, trabalhando o processo na mesma caminhada que eles. Você também precisa de pessoas que acreditam em você e que irão apoiá-lo em sua grande jornada rumo ao sucesso.
6. **Qual história você contará a si mesmo todos os dias?** Há duas histórias sendo contadas todos os dias dentro de sua cabeça: a história do "Sim, podemos" e a história do "Não, não podemos". Essas duas histórias tornam-se a forma como percebemos o mundo ao nosso redor. Não é a fechada que você toma de um carro no trânsito que o frustra, mas sim a história que você conta para si mesmo sobre o idiota que devia ter a carteira de motorista suspensa porque simplesmente não sabe dirigir direito. Evidentemente, não conhecemos essa pessoa estúpida, mas essa é a história que contamos. Da mesma forma, também contamos histórias similares a respeito de nós mesmos. Qual é o pensamento dominante que você carregará consigo na estrada rumo a seus propósito, prioridades e promessas?

7. **O que você fará diante das adversidades?** Se você vive nas imediações do Golfo do México há 20 anos e foi alertado pelo Serviço de Meteorologia que um furacão com ventos de 140 quilômetros por hora chegará à sua cidade nas próximas 12 horas, você já deve ter passado por furacões anteriormente e sabe de cor o processo para lidar com o fenômeno. O mesmo é verdade quando se trata da perseverança. Se você conhece o obstáculo à frente — por exemplo, tem consciência de que compra *junk food* quando vai ao supermercado com fome —, você pode trabalhar na criação e desenvolvimento de planos que o impeçam de fazer compras faminto. Se você sabe que uma noite maldormida o deixa mais resistente às ideias das equipes quanto a melhorias de processo, pode planejar ir para a cama mais cedo antes de grandes reuniões ou pode desenvolver um método pontual para vetar ideias de aprimoramento em situações como essa.
8. **Como você irá se recompensar?** Muitas vezes os líderes acreditam que a perseverança é o preço a ser pago para entrar no mundo do trabalho. Independentemente de qualquer coisa, você precisa fazer o seu trabalho e ponto. Isso tem lá seu fundo de verdade em certo sentido. No papel de líder, exige-se que você supere as adversidades e realize grandes projetos, sejam eles estimulantes para você ou não. Por outro lado, se seu trabalho está continuamente exigindo que você apresente uma performance excepcional sem quaisquer recompensas, você está caminhando direto para uma úlcera e para um mar de ressentimento. Quando pensa em seu propósito e nas prioridades e promessas correspondentes, o que fará para se recompensar pelo sucesso no engajamento em um longo projeto de liderança? Um jantar especial com

alguém que ama? Uma caneta nova? Um casaco novo ou uma peça de roupa em que está de olho há algum tempo? Se você não ganha nada com seus sucessos, tende a se tornar mártir ou apenas um rancoroso.

9. **Quem é um exemplo para você?** Quando estou em meu ponto máximo de perseverança, tenho em mente a imagem de alguém que é o epítome daquilo que desejo realizar. Posso conhecer essa pessoa ou posso simplesmente ter lido a respeito dela. Ter um exemplo também o ajuda com a história que contará para si mesmo. Meu mentor, Alan Weiss, é um de meus exemplos. Seu entusiasmo pela vida é uma de suas características mais atraentes e empolgantes. Ele saboreia cada momento e vivencia tantas novas experiências quanto possível. Ele ama teatro, viajar, bons vinhos, boa comida, conversas desafiadoras, ler, explorar novas ideias e ajudar pessoas como eu a alcançar todo o seu potencial.

Para perseverar em todas as áreas importantes de sua vida, você precisa responder a essas nove perguntas. Apenas pense nos últimos três meses tanto de sua vida pessoal quanto da profissional. Quais dessas nove questões elencadas, se respondidas de forma completa, teriam sido benéficas para você? Se a perseverança e o foco firme em seus objetivos e aspirações são importantes para você enquanto pessoa, reserve cinco minutos para ler esta lista novamente e responder às perguntas de modo claro e rigoroso. Quando fizer isso, o nevoeiro ao redor das coisas que precisa fazer para perseverar desaparecerá e você poderá acelerar rumo ao seu destino com gosto e convicção. Na próxima seção, vamos discutir as duas formas fundamentais por meio das quais você abordará o sucesso próprio e veremos como lidar com suas forças com perseverança.

A TARTARUGA E A LEBRE NAS EMPRESAS

A tartaruga não é bem-vista no mundo corporativo. Se a escolha for entre uma tartaruga mais lenta, mais cautelosa e mais metódica e uma lebre rápida, mas solitária e não perseverante, a maioria dos líderes preferirá a lebre. Por quê? A velocidade é de vital importância para todos os negócios hoje em dia. Os consumidores esperam respostas rápidas como lebres para suas demandas, e quando recebem respostas lentas como tartarugas a impressão é de que o negócio ou empresa simplesmente não está nem aí para suas necessidades. Na sequência de uma resposta-tartaruga de uma empresa, sempre há uma postagem-lebre em uma rede social justificando a demora.

O quão rápido seu negócio responde às mudanças do mercado ou às reclamações dos consumidores? Quando você vê um processo no interior de sua empresa que precisa ser reformulado, você pensa a respeito disso com calma ou faz a atualização na velocidade de uma lebre? A realidade é que ambas as respostas, a do tipo tartaruga e a do tipo lebre, possuem seu valor, só que em contextos diferentes. Por exemplo, há iniciativas que podem ser e precisam ser implementadas de forma rápida, feito uma lebre. Há outras iniciativas, por outro lado, que somente podem ser realizadas por meio de processos que podem parecer lentos como uma tartaruga. Por exemplo, o processo de gerenciamento pessoal não vem com rapidez. Você pode ter ganhos rápidos em um processo revolucionário e transformador de liderança, mas as mudanças radicais vêm apenas depois de extensos períodos daquele esforço que parece monótono e com pouco ou nenhum progresso – mas que, na realidade, trará resultados em longo prazo.

OS BENEFÍCIOS DE UMA TARTARUGA E OS BENEFÍCIOS DE UMA LEBRE

Uma vez que não estou de forma alguma defendendo que você contrate mamíferos rápidos ou répteis lerdos, vamos de uma vez por todas esclarecer a metáfora da lebre e da tartaruga. A tartaruga representa aquela parte de seu trabalho e de sua vida profissional que pode apenas ser alcançada por meio da perseverança e de um casco protetor. O destino é cristalino e está no foco, mas é alcançado com passos de bebê engatinhando. A lebre representa os músculos de contração rápida necessários para que superemos obstáculos rapidamente, mas que não podem ser sustentados nesse estado de tensão por muito tempo. Você precisa dessas duas habilidades, mas limitará seus benefícios se insistir em exigir de seus funcionários que realizem ambas. Isto equivaleria a pedir que um jogador de 150 quilos da linha ofensiva jogasse na posição de recebedor em um time de futebol americano.

Para que você alcance seu propósito, suas promessas e suas prioridades, deve valorizar as virtudes e limitações tanto da tartaruga quanto da lebre. Precisa construir uma concha protetora contra os derrotistas e aqueles que irão sugerir que você diminua o ritmo e a velocidade e não se esforce tanto. Precisará ainda abraçar a ideia de ir em velocidade máxima sem precisar ter todas as respostas para perguntas que parecerão cruciais no cumprimento de uma missão ou projeto. Winston Churchill abraçou formas de trabalhar típicas da tartaruga e da lebre quando advertiu seu gabinete de que negociar com Hitler, mesmo diante de um bombardeio iminente e da morte certa de centenas de cidadãos britânicos, era inútil. Ele também implorou aos membros de seu gabinete que considerassem o sucesso por meio do desenvolvimento rápido de novos armamentos, e o fez quando a Alemanha já havia triunfado na invasão da França e as tropas britânicas estavam cercadas em Dunquerque. Alguns podem dizer que ele era incapaz de se deixar persuadir, mas, em essência, Churchill sabia que a vitória da Grã-Bretanha, embora arriscada, não era uma tática singular, mas uma estratégia de duas faces: uma de tartaruga e outra de lebre.

TRÊS PASSOS RUMO À CONSTRUÇÃO DE UMA PROTEÇÃO IMPENETRÁVEL CONTRA DETRATORES

Procure respeito, não amizade

Meu mentor Alan Weiss certa vez me disse que, se eu quisesse que gostassem de mim, seria melhor adotar um cachorro. No papel de consultor de executivos e empresários, meu foco deve estar em ser respeitado. Alan tinha uma forma espirituosa e penetrante de ir direto ao ponto. No princípio de minha carreira, quando minhas tarefas giravam em torno de reorganização e recuperação de empresas, gastei demasiado tempo tentando fazer com que gostassem de mim e me respeitassem. Em meu papel, minha tarefa era tomar decisões duras e complicadas, mas de modo a preservar a posição privilegiada que eu ocupava perante as pessoas – as mesmas pessoas, porém, que seriam altamente afetadas por aquelas decisões. Evidentemente, não funcionava. Na posição de imigrante e alguém que havia se mudado inúmeras vezes durante seus anos de formação, eu inadvertidamente estava tentando evitar a rejeição enquanto tentava igualmente ser respeitado. A liberdade que descobri mais tarde não vem de tentar fazer tudo pelas pessoas. A liberdade que conheço não se originou de eu ter tentado ser todas as coisas para todo mundo, mas sim de ter sido a pessoa que exemplifica seu propósito, que é implacável na manutenção de suas promessas e que trabalha para criar valores transformadores para seus clientes.

Peça conselhos, não *feedback*

Aprendi uma lição importantíssima no que se refere à diferença fundamental entre um conselho e um *feedback*. Quando eu solicitava *feedback*, as pessoas se mostravam dispostas a fornecê-lo, mas eu não tinha qualquer interesse em saber se aquele *feedback* seria útil ou confiável. Muitas vezes, descobri que o *feedback* que recebia estava mais voltado à preservação do autovalor e da autoestima da pessoa que o estava oferecendo do que a mim, sujeito da avaliação. Percebi que meu desejo pelo sucesso muitas vezes obscurecia o desejo dos outros, e, como consequência, o *feedback* alheio com uma visão diferente dos objetivos parecia enraizado na ideia de fazer com que eu fosse menos bem-sucedido.

Os líderes revolucionários, em vez de *feedback*, pedem conselhos. O *feedback* não demanda que uma ação seja de fato tomada uma vez que seja dado. Com frequência, o *feedback* é uma transação de mão única na qual a pessoa que o oferece vê sua responsabilidade encerrada assim que emite sua opinião. O conselho, por outro lado, é compartilhado entre dois colegas que se respeitam mutuamente e que querem o melhor um do outro. O conselho, quando pedido de forma sincera e honesta, gera uma resposta substancialmente diferente daquela que é gerada quando, de outra forma, pede-se por *feedback*. O conselho inclui o desejo da outra pessoa de compartilhar conhecimento e aconselhá-lo sobre como alcançar seu propósito ou o seu estado desejado. O conselho raras vezes é chutado de longe; em vez disso, costuma ser entregue pessoalmente nas mãos da outra pessoa.

Saúde seu propósito

A terceira forma de criar uma casca impenetrável contra seus detratores é contemplar seu propósito não às escuras, mas à luz do dia – e todos os dias. No Princípio do Propósito, a palavra amor foi usada para descrever um dos tijolos essenciais de seu propósito. Quando você se apaixona por seu propósito, passa a tratá-lo de uma forma parecida com a que tratou os primeiros amores de sua vida pessoal. Você escreve bilhetes apaixonados, passa muito tempo com essa pessoa e lhe diz todas as coisas que admira e de que gosta nela. Você age de um modo que, olhando em retrospecto, pode parecer adolescente e piegas, mas que está enraizado puramente na forma como você se sente com relação àquela pessoa pela qual está, de fato, apaixonado. Você é impenetrável à parte racional de sua mente, e é movido única e exclusivamente pelo amor que sente.

O mesmo é verdade quanto ao seu propósito. Trate-o com o mesmo cuidado e amor que teria com uma pessoa que ama. Faça-lhe serenatas com palavras de afeição e carinho, passe um tempo aproveitando sua companhia, dê-lhe presentes que demonstrem sua apreciação e saiba que, a cada dia que alimenta seu propósito, mais forte ele cresce e um laço cada vez mais inseparável é construído entre vocês dois.

DOIS PASSOS PARA CONSTRUIR REFLEXOS DE LEBRE

Trabalhe com a improvisação

Conversei com um executivo hoje sobre sua inabilidade de executar as coisas na rapidez que gostaria. Ele conhecia os aspectos técnicos de seu trabalho detalhadamente, mas não compreendia por que costumava falhar no momento da execução. O que ouvi nos 20 minutos de conversa foi sua grande necessidade de que cada ação e cada resposta de sua parte fossem corretas. Ele havia estabelecido em seu pensamento que, sempre que estivesse correto, seria bem-sucedido. Quando estivesse errado, falharia. Ele havia se moldado às próprias exigências e, consequentemente, havia imposto aos outros as mesmas demandas. Ações e decisões erradas eram, em sua visão, inaceitáveis. Essa crença diminuía substancialmente a velocidade dele e de sua equipe, e na raiz do problema estava uma dose altíssima de autocrítica. Ele havia estabelecido para si um padrão excepcionalmente alto e, sempre que corria o risco de não alcançá-lo, fazia o que sentia ser necessário para entrar nos eixos e, inadvertidamente, comunicava para sua equipe os mesmos critérios rígidos, juntamente com a crítica.

Embora você possa pensar que isso é assunto para um terapeuta, permita-me discordar. O que vi trabalhando com executivos e empresários inteligentes e arrojados é que, no momento em que eles enxergam a falácia de seus pensamentos, movem-se naturalmente em direção a uma forma de resolvê-los, consertá-los. A primeira coisa a fazer é mudar o pensamento do polo branco e preto, certo e errado, para o polo do bom, melhor, ótimo. Por exemplo, uma boa resposta pode não ser sua resposta ideal, mas é boa na medida em que cria um ponto de partida para o desenvolvimento de uma resposta melhor, que, se seguida por experimentação e riscos, pode levar à excelência. Também discutimos como a improvisação é uma grande arte que demanda juízo inteligente e pode ser desenvolvida ao longo do tempo. Essa linha de pensamento fez sentido para ele, na medida em que a considerou intelectualmente atraente. Ele também concordou em observar, escutar e flagrar a si próprio sendo crítico consigo e com os outros, e ainda em identificar quando faz isso e sob que circunstâncias. Quanto mais luz ele puder jogar sobre esse aspecto de sua liderança, mais será capaz de trabalhar com a improvisação.

Construa o músculo da memória

Pratiquei atletismo durante boa parte de minha vida. Como atleta treinado e experiente, aprecio a emoção de correr a todo vapor. É difícil para mim correr em grupo ou não querer aumentar a velocidade e ultrapassar a pessoa que está à minha frente, mas quando comecei a praticar o triatlo, o corredor que existe dentro de mim foi obrigado a aprender que meus músculos precisavam se adaptar a pedaladas longas e lentas, natação e corrida, e tive de me convencer de que completar a prova era o objetivo – e não competir.

Especialistas da modalidade ensinaram-me que meus músculos podiam adaptar-se e que eu poderia colocar trechos de corrida em meus triatlos, mas apenas após meses e anos de um treinamento persistente. Uma vez que meus músculos tivessem aprendido tanto a correr quanto os aspectos de duração estendida do triatlo, eu poderia escolher a abordagem apropriada para nadar, pedalar e correr no tempo adequado. Quando você quer correr como uma lebre, não pode simplesmente sair por aí correndo e se transformar em um velocista da noite para o dia. Leva tempo, e ocorre um processo gradual e metódico de aumento da carga em seus músculos para lidar com o aumento das exigências. Por exemplo, o que é mais adequado para você? O método tartaruga ou o método lebre de trabalhar? Se a resposta for o método tartaruga, opte por diminuir a quantidade de tempo que leva para realizar a parte menos atraente de seu trabalho em 25 por cento. Se a resposta for o método lebre, qual área de sua liderança você acha que está demandando muito tempo para ser realizada? Quem é a pessoa em quem você confia e respeita para pedir algum conselho sobre formas inovadoras de tirar proveito do método tartaruga?

Seja qual for o conjunto de habilidades que se deseja desenvolver, reconheça que, quando um propósito toma conta de você e o incentiva com relação a futuras realizações, há um espírito incondicional que o cerca. Você acorda pela manhã visualizando seu dia e pensando em como irá exemplificar seu propósito de formas atraentes e entusiasmantes. Você passa o dia descobrindo novas formas de infundir seu propósito ativamente em suas mensagens de voz, e-mails e reuniões. Quando pensa nas decisões críticas que precisa tomar, você tem seu propósito operando em primeiro plano.

Entretanto, para perseverar e alcançar resultados realmente transformadores e revolucionários para si, e antes de poder ajudar os outros a fazerem o mesmo, você precisa reconhecer que não pode jogar na linha de ataque e, simultaneamente, ficar na defesa do time. Você possui um DNA de perseverança, um talento, uma habilidade e uma preferência por um tipo de ação em detrimento de outras. No entanto, você pode se tornar intocável para pessoas pessimistas e irreprimível frente aos obstáculos caso siga esses passos. Na próxima seção, iremos discutir os quatro obstáculos que eventualmente o estejam impedindo de realizar seu melhor trabalho; ademais, iremos integrar os conhecimentos e lições desta seção aos da próxima.

AS QUATRO BARREIRAS QUE O IMPEDEM DE REALIZAR SEU MELHOR TRABALHO

Sem dúvida, todo líder revolucionário deseja realizar um trabalho atraente e significativo, e eles veem sua liderança como um ponto de partida para realizar tal objetivo. No entanto, com cada ponto de partida surge também um ponto de desaceleração que pode, se não prestarmos bastante atenção, levar a um ponto de parada. Os líderes que são bem-sucedidos e estão completamente satisfeitos com o trabalho de liderança que realizam aprenderam como lidar com as quatro barreiras mais comuns que os impedem de realizar o propósito que os move rumo ao sucesso. Ao compreender esses obstáculos, os líderes tornam-se mais bem preparados para superá-los e para liderar resolutamente em vez de desempenhar seu papel de forma pura e simplesmente causal.

1. Inércia

A inércia é sedutora. É fácil nos contentarmos em realizar nosso trabalho e liderar o trabalho dos outros da mesma forma que temos feito desde sempre, mesmo que ela não funcione mais. Todo mundo no planeta sabe que a mudança é certa e que o crescimento é opcional, todavia, a atração por permanecer na mesma é constante porque não demanda mudanças radicais e o desconforto respectivo de aprender algo novo. A inércia nos infecta com um vírus que multiplica a aceitação de repetir o passado mesmo diante da consciência de que nosso trabalho se tornou trivial e vulgar. Pergunte a dez líderes se seus trabalhos são inspiradores, criativos, transformadores, inovadores e incríveis e as respostas afirmativas serão na faixa de uma ou duas. Pergunte aos mesmos dez líderes se eles honestamente descreveriam seus trabalhos como sem criatividade e seus resultados, previsíveis e seguros, e você ouvirá uma resposta afirmativa entre seis ou oito vezes. Como isso é, portanto, possível? É muito simples. Como discutimos no Princípio das Promessas, quando os líderes têm 12 prioridades e sentem-se sobrecarregados, trabalhando demais e carregando fardos demasiado pesados nas tarefas que precisam realizar diariamente, a probabilidade de eles devotarem mais energia, mais tempo e mais recursos para reinventar seu trabalho é quase inexistente. Eles se transformam em Sísifos, simplesmente esperando pelo fim do dia, quando a rocha que carregaram durante todo o expediente deslizará colina abaixo e os esmagará. Eles desistiram, e estão resignados à situação atual que se veem obrigados a viver.

O que é surpreendente, entretanto, é que quando os líderes encontram uma única esperança, sonho ou ideia que os atrai de forma espetacular, quando eles veem um caminho para alcançar suas grandes prioridades, quando param de tentar corrigir suas fraquezas e falhas e, em vez disso, colocam em funcionamento suas maiores forças, nessa hora a inércia é anulada. Isso não significa que a vida se torna cor-de-rosa de uma hora para outra, mas de fato significa que o *mindset* do líder é transformado, assim como suas crenças quanto ao que é possível.

2. Ignorância

Você pode ser inteligente e ignorante ao mesmo tempo. Por exemplo, um líder pode ser tecnicamente brilhante, educado, ter um histórico de trabalho atraente e notável e permanecer ignorante quanto às expectativas, sonhos e aspirações de seus funcionários e consumidores.

Também parto da hipótese razoável de que vocês que estão lendo este livro são líderes bem-intencionados, inteligentes e talentosos. Não acho que tenham problemas sérios, tampouco acredito que sejam preguiçosos e ignorantes. O que de fato vejo em toda sala de reunião, cubículo e canto de escritórios são líderes desinformados a respeito do poder de seu propósito, líderes que se tornaram viciados em usar fatos e dados engessados para liderar tanto a si próprios quanto a suas organizações e empresas. Vejo líderes que se esqueceram de que seus comportamentos impactam suas performances e que capturar os corações e as mentes dos funcionários é seu trabalho número um. Eles são inteligentes, não me entenda mal, mas são inteligentes com relação a coisas que não demandam criar a transformação que tanto desejam na organização. Eles ignoram o lado pessoal e relacional de sua liderança.

Ao longo deste livro, você tem sido apresentado a estratégias para reconquistar tanto o seu coração e a sua mente quanto o coração e a mente daqueles que você, enquanto líder, guia. De certo modo, você não é mais ignorante quanto à arte e à ciência da liderança, mas é ignorante no que concerne a quais barreiras o estão impedindo de realizar plenamente seu propósito. Será que você realmente não sabe como, ou foi enredado na trama de uma inércia e não encontrou a porta de saída? Antes de responder, vamos conversar um pouco a respeito da barreira seguinte: a incompetência.

3. Inexperiência

A inexperiência em um contexto de liderança revolucionária não é uma acusação tão severa quanto pode a princípio parecer. Ela não pertence à habilidade crônica de um líder, mas, em vez disso, é uma observação sobre talentos e habilidades temporários necessários para se realizar um trabalho inovador. A inexperiência aplica-se a líderes novos ou mais seniores que são completamente capazes de aprender a realizar um trabalho significativo, mas carecem de um conjunto de habilidades específicas, focadas e vigentes para se transformarem em líderes revolucionários. A inexperiência aponta mais para a oportunidade de desenvolvimento, tanto para os líderes quanto para seus subordinados diretos.

Pode ser fácil para você dizer: "Sim, minha equipe é inexperiente e quero desenvolver um *mindset* mais inovador, apaixonado e focado no crescimento". Pode ser fácil deixar claro para a equipe quais as habilidades exigidas para se lidar com um consumidor chateado ou para se reter um cliente que telefonou para fechar uma conta ou rescindir um contrato. Entretanto, o líder revolucionário está continuamente perguntando a si mesmo de quais novas experiências e de quais novos conhecimentos ele precisa para liderar a transformação que deseja. Você precisa de mais experiência de liderança baseada no propósito? Você precisa de mais experiência em modelar as promessas e prioridades de sua liderança? E quanto a persuadir os outros ou a liderança de projetos estratégicos? Se sua resposta é que não há necessidade de novas vivências e educação, posso pedir-lhe para reler a seção que trata sobre a ignorância e a inércia? Se ainda assim a resposta é não, você vai acabar ouvindo o estrondo da rocha pesada rolando colina abaixo em sua direção.

4. Indiferença

Nove entre dez vezes, a indiferença é resultado de não haver um propósito claro e atraente para sua liderança e para sua organização. Para alguns líderes, alcançar resultados financeiros é seu propósito. Esse propósito, porém, faz pouco para conquistar o coração e a mente dos funcionários e consumidores. Sim, alcançar resultados financeiros é fundamental para permanecer relevante, mas ter medidas econômicas como principal objetivo contraditoriamente leva à baixa performance. O que os líderes revolucionários reconhecem é que fazer uma diferença significativa na vida de uma pessoa anula a indiferença e produz criatividade, energia e disponibilidade para mudar e crescer.

Já vi a indiferença assumir diversas formas. Existe a indiferença que vem de líderes seniores ineptos, cortes implacáveis de orçamento, negociações controversas de contratos, clientes descontentes, desajustes entre vendas, marketing e operações, má gestão de qualidade de produto e vida pessoal fora de controle. Também vi isso tudo enraizado em coisas muito simples, como a falta de saúde, noites maldormidas e alimentação inadequada.

Nas vezes em que a indiferença vem de alguém que realmente não dá a mínima para o produto, o consumidor, a performance, a reputação ou o bem-estar de um colega de trabalho, ela precisa ser cortada pela raiz e tratada como um câncer. Se deixada à solta, essa indiferença vai se espalhar, e será fatal tanto para você enquanto líder quanto para a sua empresa. É nesse momento que os líderes revolucionários agem. Eles não vão permitir que a inércia, a inexperiência ou a ignorância os detenham. Devem estar preparados para liderar uma missão de remoção da indiferença no momento em que ela apontar no horizonte.

Todo princípio que você aprendeu até agora neste livro é requisito para superar essas quatro barreiras, que o impedem de realizar seu melhor trabalho, e para criar uma cultura envolvente para todos — que, consequentemente, também darão o melhor de si. Embora, às vezes, remover o câncer da indiferença possa demandar um procedimento imediato e radical, na maioria das ocasiões o que se exige é perseverança diante da adversidade. Na próxima seção, você aprenderá a mobilizar as formas de abordagem do trabalho tanto enquanto tartaruga como enquanto lebre e a criar resultados transformadores e revolucionários.

POR QUE A EXECUÇÃO SUPERA A ESTRATÉGIA

No vocabulário do Princípio da Perseverança, a execução supera a estratégia devido a três motivos fundamentais, todos enraizados em percepções incorretas e ultrapassadas a respeito da estratégia. Essas percepções, quando vistas como um todo, apontam enfaticamente para a importância de se pensar estrategicamente sobre sua liderança, sua empresa, seus funcionários, seus resultados e seu senso de satisfação pessoal e de sucesso. Entretanto, elas também apontam para a realidade transformadora de que o pensamento estratégico, se não estiver casado com uma execução impiedosa, está destinado a preencher mais uma prateleira com pastas muito pensadas, embora raramente usadas, de planos estratégicos. Olhe para sua estante – e faça a si mesmo uma pergunta: se eu tivesse que avaliar a mim, minha equipe e minha empresa com relação à habilidade de converter ideias estratégicas em resultados confiáveis, rentáveis e recompensadores, qual nota eu daria em uma escala de 1 a 10? Nesta situação, 1 é deplorável e 10 é exemplar. O que vem a seguir são as mais importantes e relevantes percepções erradas que envolvem os conceitos de estratégia e de execução.

Percepção obsoleta #1: A estratégia é um respiro de um dia agitado

A primeira percepção incorreta que a maioria das pessoas sustenta é que as sessões de estratégia são uma forma de desligar-se das exigências do dia e envolver-se em conversas intelectualmente estimulantes e, às vezes, engraçadas. Embora você possa de certa forma ser energizado pela sessão, a melhor percepção com relação à estratégia é de que se trata de um processo de autoexame a respeito de resultados anteriores: o que funcionou e o que não funcionou e quais são as demandas que você e sua empresa precisam enfrentar. As sessões de estratégia são simplesmente uma plataforma de lançamento para realizar o trabalho que melhorará a posição de seu negócio no mercado. É fundamental que você responda a questões como: "Onde estaremos enquanto organização dentro de dois ou três anos?", "Como faremos uma diferença significativa na vida de nossos consumidores?", "O que queremos que nossos funcionários experimentem e alcancem dentro de dois ou três anos?". Essas são perguntas cativantes e importantes e, para muitas pessoas, agradáveis, porque elas são transportadas para longe da realidade dura e áspera das prioridades do dia. As sessões de estratégia permitem que elas imaginem um futuro pleno de novas possibilidades – que podem muito bem ser mais sedutoras do que a situação atual.

Nova percepção: As sessões de estratégia são uma zona de testes para a performance acelerada. Ponto. Sim, possuir uma imagem clara de seu futuro é essencial e, sim, ter paixão com relação a seu futuro é necessário, mas uma zona deve ser estabelecida para você perseverar na realização de seus objetivos, de modo que a execução persistente e consistente exigida esteja clara em sua mente para que você possa seguir em frente.

Percepção obsoleta #2: A execução bem-sucedida elimina as falhas

No mundo corporativo, muitas pessoas chegaram à conclusão de que precisam ser bem-sucedidas em todos os empreendimentos de que tomam parte. O sucesso, portanto, exige eliminar a falha, uma vez que falhar não é tolerado em várias empresas. As apostas são altas demais, os investimentos são muito grandes e os consumidores, muito mimados. Sim, vencer a guerra é necessário, mas pensar por um momento que a guerra pode ser vencida sem que percamos uma ou duas batalhas é uma tremenda tolice.

A percepção mais negativa e incorreta com que já me deparei em meu trabalho é a que afirma o seguinte: se você falhar, será relegado ao escritório de Fargo, na Dakota do Norte, e sua carreira se tornará significantemente limitada. Esse tipo de pensamento significa que muitos líderes chegam inseguros à execução. Eles estão hesitantes em agir porque, se executarem incorretamente, serão vistos sob uma perspectiva menos favorável.

Nova percepção: Drene de sua liderança o medo de falhar. Perseverar diante da adversidade é de extrema ajuda quando exemplos de líderes e indivíduos que alcançaram resultados notáveis estão em nosso foco. Lembre-se dos exemplos de Sir James Dyson, Oprah Winfrey, Babe Ruth, J. K. Rowling, Thomas Edison e Abraham Lincoln. Manifeste em suas reuniões e em sua liderança o fato de que, se você não falhar, não tentará nada novo. A perseverança é um constructo intelectual e não um valor a ser exemplificado.

Percepção obsoleta #3: A velocidade é perigosa

No mundo das corridas de automóveis a palavra de ordem é velocidade. Aquele que consegue dar uma volta na pista e cruzar a linha de chegada mais rápido do que seus competidores é o vencedor. Os pilotos de carros de corrida, portanto, vão o mais rápido que podem, ficando no limite entre velocidade e segurança. Eles não têm medo de ir mais rápido. Com efeito, estão continuamente procurando acelerar, não de maneiras tolas e irresponsáveis, mas até atingir exatamente o limite. Os espectadores podem achar os esportes automotivos excitantes como entretenimento, mas quando têm a oportunidade de experimentar a velocidade crescente de um supercarro, gritam como uma criança de 5 anos que acabou de ver um rato em seu quarto.

Apesar disso, a velocidade é a nova moeda no mundo do trabalho. A quantia de 10 milhões de dólares pode ser transferida de uma instituição financeira para outra com um clique. As percepções dos consumidores podem mudar em um instante se o tempo para um funcionário reagir a um problema ou reclamação for longo.

Entretanto, muitos funcionários temem agir rápido porque veem a velocidade como indesejada, sinal de imprudência e imperfeição. Eles sentem-se assim porque estão metaforicamente dirigindo um carro popular em uma pista profissional, em vez de um carro de Fórmula 1. Você também sentiria que não tem muito controle se estivesse correndo nessas condições.

Nova percepção: Redefina a velocidade como perigosa apenas se o veículo e a pista em que está dirigindo forem incompatíveis. Discuta qual novo conjunto de habilidades, *mindset*, equipamentos, processos e sistemas é necessário para diminuir o tempo da venda de novos produtos ou para aumentar o tempo de resposta para consumidores-chave. Procure uma ação que seja consistente e persistente. Redefina quais são os custos de uma velocidade menor e quais são as recompensas de uma velocidade maior.

A verdade é que a perseverança e a execução superam a estratégia. Sim, a estratégia é muito positiva na medida em que estabelece direcionamentos para você, para sua equipe e até mesmo para sua organização, mas a realidade é que alcançá-la demanda uma perseverança descrita como implacável e impiedosa.

Neste capítulo, você provavelmente descobriu uma ou duas áreas que apontam claramente para as barreiras que o estão impedindo de realizar suas iniciativas estratégicas mais importantes e relevantes. A parte rigorosa da liderança revolucionária é esta: até que você se apaixone por seu propósito e o deseje de forma bastante intensa, a perseverança descrita aqui será simplesmente um monte de palavras impressas em uma folha de papel. Quando seu propósito o pegar de jeito e não o deixar mais, as palavras nestas páginas deixarão de ser constructos intelectuais flutuando em sua cabeça e passarão a ser ideias que o impelem a amarrar seus tênis de corrida e a colocar-se na pista. A seção seguinte trata da conversão de tudo que você leu até este momento em um plano final que será o catalisador de resultados realmente revolucionários.

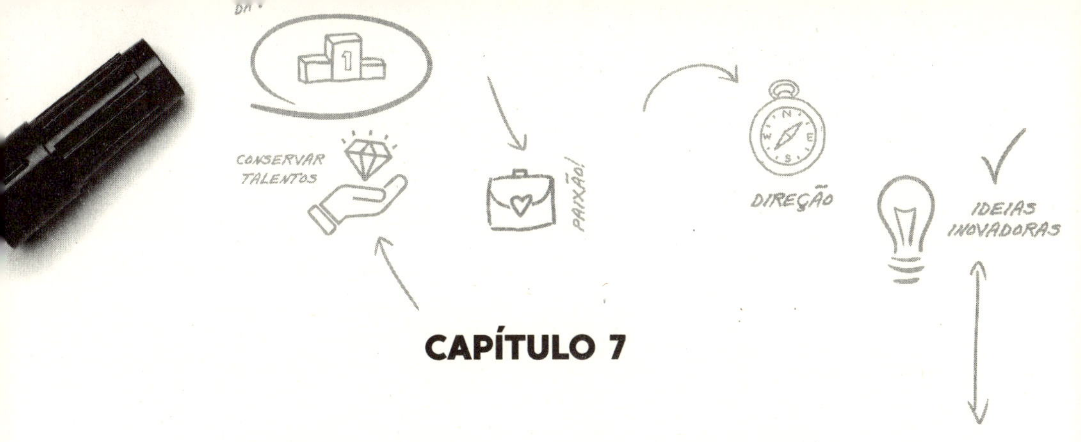

CAPÍTULO 7

O PRINCÍPIO DA PREPARAÇÃO

VIVER UMA VIDA RESOLUTA *VS.* VIVER UMA VIDA FORTUITA

Embora eu defenda que você seja resoluto em qualquer área de sua vida, haverá momentos e eventos para os quais não estará completamente preparado. No dia 13 de dezembro de 2016, minha família passou por um desastre totalmente inesperado. Meu cunhado, Joey Sharron, estava nadando no México quando duas ondas o atingiram por trás e o atiraram de cabeça em um banco de areia. Ele fraturou o pescoço com o impacto e, se não fosse por uma mulher que estava na praia a uma distância de 22 metros e gritou para o marido ajudá-lo, meu cunhado teria se afogado e morrido.

Durante 15 minutos houve tentativas de ressuscitá-lo, em vão. Quando os salva-vidas estavam desistindo, um médico hospedado em um hotel próximo que assistira à cena toda correu em busca de um desfibrilador e recomeçou o salvamento. Entre sua chegada e intervenção, passaram-se outros 10 minutos, e, após quatro choques, o médico conseguiu finalmente ressuscitar Joey.

Meu cunhado passou por uma cirurgia de emergência ali mesmo no México e, três dias depois, foi transferido para o Mass General, em Boston, onde recebeu o diagnóstico terrível: ele ficara tetraplégico. Está vivo hoje, não sofreu nenhum dano cerebral e possui um *mindset* espetacular. Ele está, de várias maneiras, preparando tanto a

sua família quanto a si próprio para aceitar seu prognóstico meramente como um ponto de partida, e não como seu ponto de chegada.

Duas semanas depois do acidente de Joey, eu ainda não estava completamente preparado para compreender a enormidade dos danos que ele tinha sofrido ou o impacto que isso teria em cada membro de nossa família. Há aspectos relacionados aos cuidados e à convivência com alguém que sofreu um acidente dessa magnitude que estão além de nossa compreensão — e que deixam aos prantos e despreparados para lidar com a seriedade da condição.

Entretanto, por causa deste acidente, Joey especificamente e nossa família em geral aprendemos novas possibilidades todos os dias – possibilidades para sua recuperação, para seu trabalho e para nosso papel em um processo de cura gradual e saudável. Observar Joey lidar com essa adversidade de modos encorajadores e inspiradores deixa claro para mim que ele pode me ensinar muito a respeito do Princípio da Preparação e de Liderança Revolucionária. Joey disse que jamais desistirá e que sabe exatamente pelo que terá de passar emocional e fisicamente. Ele sabe que isso é um teste gigantesco para sua saúde e qualidade de vida, mas também é um teste para sua esposa, para sua família e para seus negócios. Ele de forma alguma é ingênuo, mas acredita que a forma como pensa a respeito de sua lesão e as escolhas que faz com seu *mindset* e sua reabilitação podem ajudá-lo a superar a situação e levá-lo a uma vida saudável e produtiva. A atitude de Joey está transformando o que eu acreditava ser possível e está me preparando para ser surpreendido por tudo aquilo que ele realiza.

O título desta seção prega: "leve uma vida resoluta, não uma vida fortuita". Uma vida fortuita significa uma vida acidental, mas não no sentido do acidente que Joey sofreu; tampouco quer dizer que sua liderança e vida são meros acasos. Mas o que descobri com cada executivo e empresário com o qual já trabalhei em toda a minha carreira é que as demandas de seus trabalhos os inibem de projetar a liderança e a vida que permitam que eles enfim floresçam.

A verdade é que sua jornada de liderança revolucionária será preenchida com obstáculos e barreiras, algumas que você poderá antecipar e outras completamente inesperadas (fortuitas, acidentais). Você provavelmente observará aspectos de sua liderança e da performance de sua empresa e perceberá que muito do trabalho que está realizando precisa ser de alguma forma transformado. Você pode ter observado as experiências de seu consumidor e visto onde elas precisam ser transformadas, ou visto que as percepções de seus funcionários precisam mudar para que eles sejam capazes de levar o melhor de si para o ambiente de trabalho. A esta altura, você pode estar dizendo que seu trabalho precisa ser transformado e passar de um esforço vagaroso em um imenso território inimigo à mais alta expressão daquilo que você espera para si enquanto líder.

Um executivo com o qual trabalhei contava-me repetidamente sobre as oito ou dez reuniões que havia todo dia na empresa e sobre os 250 e-mails que ele recebia. Não havia espaço para diminuir o ritmo e pensar, e todos lamentavam estar sentindo-se mais como máquinas do que como seres humanos.

Há momentos em que é da natureza da criatura participar de reunião após reunião e navegar em uma montanha de e-mails. Mas o risco de fazer isso por períodos demasiado prolongados é que você pode acabar se convencendo de que está fazendo seu melhor trabalho. Isso seria similar a pensar que você pode correr uma maratona por semana durante 52 semanas e esperar que na 13ª maratona você esteja tão disposto quanto na primeira ou que na 52ª repousará plácido o potencial para o seu melhor. Isso é loucura.

Seja qual for a transformação que você deseja para sua empresa, ela sempre começará com você se preparando para (e passando por) uma transformação pessoal em primeiro lugar. Não há como escapar disso. E aqui, no Princípio da Preparação, quero prepará-lo não apenas para a transformação de uma liderança florescente, mas, mais importante ainda, para uma transformação pessoal que fará de você e daqueles que lhe são importantes indivíduos de sucesso e extremamente satisfeitos.

Para que você reduza pela metade o tempo necessário para alcançar o sucesso, deve estar preparado para enfrentar as realidades da liderança revolucionária. Especificamente, você precisará aprender a: enfrentar barreiras e obstáculos; ser um modelo para seu propósito; deixar de lado o seguro, confortável, conhecido e previsível; e preparar-se para grandes feitos ao aprender uma lição com um monge do século XVI.Vamos analisar detalhadamente cada um desses passos a seguir.

SUAS MAIORES BARREIRAS E OBSTÁCULOS SÃO A ENTRADA PARA SEUS MAIORES SUCESSOS

Seus maiores sucessos estão escondidos atrás de seus maiores erros e barreiras. Você acredita nisso? Permita-me explicar o que quero dizer. Sempre que você se vê preso ou tolhido durante o processo de realização de algo que deseja, há uma barreira ou obstáculo que o está impedindo de alcançar um progresso maior, e, uma vez enfrentado esse empecilho, você poderá acelerar rumo a um grande sucesso. Parece óbvio, não? Como você provavelmente lida com obstáculos e barreiras todos os dias, eu diria que o que o impede de alcançar um sucesso maior não é o obstáculo em si, mas aquelas oito entre dez vezes em que as barreiras com as quais se depara são barreiras de *mindset* – não de conjunto de habilidades —, portanto, cultivar um *mindset* de paixão, inovação e crescimento para si e para sua equipe será o catalisador para a superação dos obstáculos. Essa é a primeira área de liderança para a qual você precisa estar preparado.

Ainda assim, preparar-se para alcançar seus maiores objetivos exige um novo quadro de referências a respeito de barreiras e obstáculos, um quadro que dá boas-vindas aos entraves porque eles lhe proporcionam três benefícios. Nesse sentido, os entraves permitem a você:

1. Testar seu vigor.
2. Confirmar o que você sabe e o que ainda precisa aprender.
3. Ser um modelo exemplar daquilo que você espera que se torne habitual.

Vamos mergulhar em cada um desses benefícios mais detalhadamente.

Testar seu vigor

Pense no resgate da espaçonave Apollo 13 realizado no ano de 1970. Depois de mais de 50 horas de missão e quando a nave se encontrava a aproximadamente 320 mil quilômetros da Terra, algo deu terrivelmente errado. Alguns minutos após a equipe de controle pedir para a tripulação ativar um ventilador que misturaria os conteúdos dos tanques de oxigênio e de hidrogênio, uma grande explosão foi ouvida na espaçonave. O estrondo alto e imprevisto levou a flutuações na energia da cápsula e à queima dos propulsores da nave espacial.

O problema foi a explosão de um segundo tanque de oxigênio, seguida de um curto-circuito. Com energia limitada e os recursos essenciais se esgotando, a tripulação teve que abortar o pouso planejado na superfície da Lua e usar os módulos lunares como salva-vidas. Os engenheiros receberam a ordem de trazer os astronautas de volta para casa com segurança. Eles trabalharam contra o tempo para descobrir como fornecer oxigênio e energia aos astronautas e para criar um plano a fim de trazê-los de volta para a Terra.

Perto de quatro dias após a explosão sinistra, a Apollo 13 girou em volta da Lua e a gravidade lunar a colocou no caminho de volta para a Terra. O retorno foi saudado como uma das realizações mais notáveis da engenharia e estarreceu não apenas os astronautas, mas o mundo inteiro. O resgate foi o último obstáculo e o teste final para o vigor da engenharia da NASA. Depois, esse acontecimento se tornou referência para se determinar o que era possível e permitido em outras missões, em vez de ditar seu cancelamento sumário. Permitiu, ademais, a continuação do programa Apollo.

Não é exagero dizer que enterrada em cada obstáculo e barreira existe a semente de sua maior realização. Steve Jobs foi expulso da Apple após uma discussão com o cofundador da empresa, Steve Wozniak. Steve Jobs não esperava ser dispensado e, mais tarde, disse que ser demitido da Apple foi a melhor coisa que poderia ter lhe acontecido. Jobs absorveu esse obstáculo de ser chutado da empresa e focou em seus projetos na Next e na Pixar. Seu foco teve como resultado a venda da Pixar para a Disney por 7,4 bilhões de dólares. E, depois que ele voltou para a Apple, elevou o valor de mercado da empresa de 3 bilhões de dólares em 1997 para 350 bilhões de dólares em 2011. Jobs não ficou sentado em um canto escuro lamentando os percalços da vida; muito pelo contrário, atirou-se em outros projetos e canalizou seu impulso e energia de forma resoluta.

Confirmar o que você sabe e o que ainda precisa aprender

Uma das principais características dos obstáculos e barreiras é que eles confirmam o que já sabemos e mostram o que não sabíamos – e precisamos, portanto, aprender. No exemplo da NASA, imagine uma reunião com todos os engenheiros logo após o desastre com a Apollo 13. Às vezes me pego imaginando como deve ter sido essa reunião, na qual cada engenheiro provavelmente listou o que sabia sobre a situação. As conclusões foram de que a tripulação iria precisar de oxigênio, impulso (para preservar a energia física e do módulo lunar) e de instruções simples por conta da falta de alimento e forças. Isso provavelmente resultou em outra lista contendo o que eles não sabiam e precisavam descobrir: "O que não sabemos consertar e o que temos que consertar primeiro para trazer aqueles astronautas de volta para casa?".

Os obstáculos são encantadores quando encarados a partir dessa perspectiva. Há aspectos em toda forma de adversidade que você saberá como enfrentar ou consertar, mas também há aqueles que exigirão que você aprenda algo novo, expanda seu conhecimento e possivelmente sua habilidade de trabalhar com grupos de pessoas diferentes para chegar à melhor solução possível.

Ser um modelo exemplar daquilo que você espera que se torne habitual

Líderes como você, Joey e eu são modelos. As pessoas estão continuamente observando os líderes, em especial em momentos de adversidade, e elas coletam pistas com relação ao que devem fazer quando a estrada para o sucesso está bloqueada. Quando os funcionários veem um líder responder com coragem, confiança e comprometimento, a mensagem é enviada com um impacto que o marketing corporativo ou o departamento de recursos humanos não conseguiriam causar: é assim que nós, enquanto organização ou equipe, respondemos.

O que importa a respeito de ser um modelo de comportamento é o seguinte: como exemplo a ser seguido, você deve abraçar as situações em que é testado, pois nesses momentos aprenderá e crescerá mais do que jamais imaginou ser possível, e irá se tornar o exemplo para sua organização quanto aos valores e crenças que guiam sua liderança. Se você não enfrentar obstáculos e barreiras, jamais terá a oportunidade de refinar sua liderança ou a chance em tempo real de comunicar poderosamente o que é importante para você enquanto líder. Abstendo-se, você também não terá nenhum sentido de urgência ou desejo de melhorar cada vez mais. Você será complacente e irá se contentar em permanecer o mesmo.

As barreiras e os obstáculos que vai encontrar ao realizar o trabalho que lhe recomendo são necessários para que você finalmente se torne um líder revolucionário. E, para dizer a verdade, se seu *mindset* o leva a evitar as adversidades, sua liderança torna-se enfadonha, débil, sem inspiração e, sinceramente, banal.

Ao esmiuçar os sete princípios, o que eu quis dizer foi o seguinte: quando você encontrar e articular uma ideia única, uma expectativa, um sonho ou uma aspiração que realmente diga algo em seu íntimo e seja persistente, sua vida vai mudar. Assim como mudarão a forma como você se relaciona em seu trabalho e em casa, a forma como se relaciona com seus funcionários e com seus clientes e a performance e os resultados de suas equipes e da organização.

Todavia, para muitos de vocês, esse grito de guerra para a liderança é encoberto pelo trabalho dos departamentos de comunicação corporativa em relação à missão, ao propósito e à visão da empresa. Uma vez articulados e distribuídos esses valores, dentro de seis meses ninguém mais consegue se lembrar da missão, do propósito e da visão ou discuti-los em termos emocionais e motivadores, de modo que morrem lenta e silenciosamente.

Entretanto, quando você trabalha o Princípio do Propósito com seriedade e compromisso, a clareza e o foco de que precisa para transformar as barreiras e os obstáculos em oportunidades para a grandeza emergem com maior frequência. Enquanto não possuir essa clareza e esse foco para sua liderança, ela será mais intelectual e menos emocional. Sim, o intelecto é importante, mas, para superar grandes obstáculos, você e sua equipe precisam ter um cuidado profundo com algo maior do que vocês mesmos; algo que está muito além do dinheiro, do lucro, da participação de mercado e assim por diante. Evidentemente, esses aspectos são importantes, mas líderes revolucionários são aqueles que se apaixonam por algo mais nobre, edificante e significativo.

Na próxima seção, vamos entender por que a falta de preparo é a sentença de morte para os resultados que deseja e quais planos você precisa realizar para se tornar um líder revolucionário.

ATRAVESSANDO OS LIMITES DO SEGURO, PREVISÍVEL E CONHECIDO

De tempos em tempos, você vai perceber que o que está fazendo não está mais funcionando. Trabalhei com executivos da área de tecnologia por mais de dez anos. Uma das coisas mais difíceis que eles tinham de deixar para trás era sua satisfação com o lado técnico de seu trabalho. Eles entraram no campo da tecnologia por causa de uma satisfação ou habilidade com programação e apaixonaram-se pela atividade. Embora amar o que você faz e ser bom nisso seja fundamental para se alcançar o sucesso no trabalho, eles perderam de vista o valor de negócio que a tecnologia aufere a uma organização. Quando sugeria que esquecessem de sua tecnologia e, em vez disso, focassem no valor empresarial e econômico de seu conhecimento, deparava-me com olhares tão assustados quanto o de um cervo encarando faróis em uma rodovia no meio da noite. Parecia que eu estava lhes pedindo que entregassem os próprios filhos para adoção. A angústia da separação que esses líderes experimentaram está enraizada no valor cuidadosamente construído que eles atribuíram a si mesmos. Se são especialistas em sua tecnologia, serão vistos como valiosos e bem-sucedidos. Quando lhes pedi para focar no valor econômico e empresarial dos investimentos em tecnologia, eles não souberam como fazer isso, jamais haviam aprendido como calcular o ROI dos gastos com tecnologia e experimentaram uma sensação de angústia e vontade de fugir. Fundamentalmente, até que soubessem como fazer o que eu estava pedindo, e até que vissem o valor disso, eles permaneceriam atolados no que era conhecido, seguro e previsível.

O mesmo é verdade na área da saúde. Vários de meus clientes que ocupam posições de liderança em hospitais têm médicos e enfermeiras que conseguem apenas ver o mundo através do prisma de sua especialidade ou área prática. As aplicações de suas especialidades na empresa como um todo simplesmente não são levadas em consideração. O mesmo acontece na educação superior, em que vários professores jamais atravessam os limites de sua confortável e segura torre de marfim para saber o que realmente interessa no mundo do trabalho no qual os alunos estão ingressando.

Portanto, o que é necessário para atravessar as fronteiras do confortável limite do conhecido e previsível? Se você deseja alcançar os resultados com os quais sonha, esteja preparado para dar um passo adiante na arena da liderança e reconhecer os quatro motivadores-chave para abrir mão do seguro, confortável e conhecido.

Sonhos

O maior apelo para que eu escrevesse este livro foi incitá-lo a pensar grande a respeito de sua liderança e conectar seu pensamento com os planos que têm o poder de transformar sua vida profissional, convertendo-a de um mero trabalho na mais alta expressão possível daquilo que é importante para você. Sem dúvida alguma, meu sonho era que você se tornasse o catalisador para o florescimento humano no mundo corporativo. Mas isso não pode acontecer acidentalmente; isso só pode se concretizar se houver propósito quando um líder não está mais satisfeito ou contente com sua liderança e com os resultados que vem alcançando.

Quando você tiver um sonho para sua vida profissional, haverá momentos em que experimentará altos níveis de insatisfação. A insatisfação é um sinal de que seus sonhos estão sendo de alguma forma frustrados ou correm um alto risco de serem comprometidos. Se você nunca experimenta insatisfação com sua situação atual ou com as mudanças que estejam porventura ocorrendo ao seu redor, seus sonhos são pequenos demais ou você possui uma tolerância sem precedentes para a manutenção do *status quo*. Você faz uma dieta quando está insatisfeito com o caimento de suas calças ou quando seu sonho de se sentir confortável em suas roupas está ameaçado. Você troca de carro quando está insatisfeito com a manutenção de seu veículo atual ou o sonho de dirigir um automóvel último modelo permeia todos os seus pensamentos. Cada uma dessas insatisfações está enraizada em um sonho.

O mesmo acontece quando se trata de liderança. Qual parte de sua liderança o deixa insatisfeito? Qual parte de sua liderança você acha que precisa ser sonhada de forma diferente para que você possa aproveitar melhor o seu trabalho e também ter um impacto maior sobre os outros? A insatisfação não é algo negativo. Ela é um catalisador de que você precisa para começar o processo de sonhar grande e deixar para trás os confins do seguro, do confortável e do conhecido.

Escolhas

Cada um de nós tem a capacidade de fracassar ou de florescer. É uma escolha que temos que fazer e depende única e exclusivamente de nós. O que você escolheu hoje? Escolher florescer demanda coragem. A palavra coragem tem origem na palavra francesa *cœur*, que significa coração. Escolher dar um passo além do seguro, conhecido e previsível rumo a um território inexplorado é, como Joseph Campbell afirma em *O poder do mito*, uma escolha heroica. A insatisfação que pode sentir o impele, frequentemente de forma relutante, a se aventurar para fora do conhecido e do seguro em busca de algo diferente, mesmo diante de um caminho obscuro. A insatisfação impele-nos a fazer escolhas baseadas na noção de que permanecer o mesmo não é mais uma opção, e que fazer uma escolha tentadora rumo ao desconhecido terá com o tempo o apoio da fé e da coragem. A jornada rumo à liderança revolucionária jamais é linear e exige que coloquemos em prática todos os sete princípios. Cada princípio pode ajudá-lo a ser mais corajoso e a se desviar daquilo que o fez ter sucesso no passado em direção àquilo que garantirá seu sucesso no futuro.

Crenças

Sejamos claros: para ser um líder revolucionário, você precisa acreditar que não é uma vítima do sistema. Você possui o poder e a capacidade de tomar decisões, fazer planos, aprender novas habilidades e expandir suas experiências de modo a ser mais valioso para sua organização, para seus clientes e para seus funcionários. Com pouquíssimas exceções, os líderes seniores de sua empresa acreditaram em algo e foram resolutos com relação ao que queriam criar, tanto no que se refere ao papel que desempenham enquanto líderes quanto ao impacto que desejam causar nos outros. Eles acreditaram que o que viam no horizonte era possível e que eram responsáveis por criar essas possibilidades.

Enquanto trabalhava com a Starbucks, um vice-presidente me contou a história de como o fundador e CEO, Howard Schultz, começou a trabalhar na empresa como gerente de marketing e saiu quatro anos depois para abrir um café devido a um desacordo com os proprietários. Ele acreditava que seria melhor sair e abrir a própria empresa. Quatro anos depois, ele comprou a Starbucks dos proprietários originais e agora possui um império de 25 mil lojas espalhadas pelo mundo todo.

A história me foi contada enquanto compartilhávamos conhecimentos acerca do que é a Starbucks hoje em dia. A Starbucks é comandada por um CEO que acha que é melhor afastar-se de situações que não estão certas e que e não apresentam o potencial correto para a realização de um trabalho excelente. Havia um risco quando Howard Schultz saiu da empresa? Evidentemente. Havia algum benefício? Certamente. O que estava presente em primeiro lugar para Howard Schultz era uma crença de que viver e levar a vida de sua escolha jamais é algo ditado pelas circunstâncias. Ele escolheu viver sua vida de forma a ter mais controle e influência, sem ter que delegar isso a terceiros. Será que as suas decisões resultarão em dividendos tão agradáveis quanto a decisão de Howard Schultz rendeu a ele? Na verdade, sim, resultarão. Só que esses dividendos serão diferentes.

Se você sonha, escolhe e acredita, é provável que se comprometa a dar um passo para fora do seguro, do confortável e do conhecido. O compromisso seguinte é dar um passo de cada vez sem esperar garantias ou saber que tudo será perfeito. A questão é progredir todos os dias rumo àquilo que é importante e inspirador para você. Isso nos leva ao quarto motivador-chave.

Ação

Qual a principal ideia que você aprendeu até agora que o impeliu a tentar fazer algo diferente, assustador, arrojado e excitante? A liderança é fundamentalmente uma atividade solitária, na qual ninguém pode sonhar, fazer escolhas ou acreditar por você. Você precisa fazer tudo isso sozinho. Entretanto, uma vez que sonhou, fez escolhas e adotou uma crença inabalável, fazer algo todos os dias que mova o ponteiro da performance é uma coisa que vem de forma natural. Acima de tudo, o líder bem-sucedido sempre cultiva um viés para a ação – um viés para tomar atitudes diariamente que o aproximem cada vez mais do sucesso e de uma satisfação maior.

Minha experiência revela que os motivadores mais imediatos são sonho e crença e que o motivador que possui mais eficácia é a ação. E é aí que mora o grande dilema para muitos líderes. Eles se veem impelidos a agir, mas não têm claro quais são seus sonhos, e, por extensão, não cultivaram a crença necessária para serem bem-sucedidos. Não sou ingênuo; tampouco estou com os olhos vendados quando considero as demandas enfrentadas pela maioria dos líderes hoje em dia. A taxa de mudança se acelerou ao ponto de a maioria dos líderes sentir-se sobrecarregada, com muita coisa para fazer e muitos assuntos para resolver.

O que você deveria planejar? Você tem que se preparar para um avanço. Se gosta da ideia de um avanço na performance e daquilo que ela representa profissionalmente, permita-me também prepará-lo para aquilo que precede um avanço: uma pane. Não é incomum que avanços sejam precedidos por panes na comunicação, panes na distribuição dos recursos, panes no respeito e confiança entre funcionário/líder. Sempre que você vislumbra um avanço, alcançá-lo exige superar suas maiores barreiras, deixar para trás o reino do seguro e do confortável e embarcar em uma jornada do herói. Embora seus avanços sejam facilitados por meio da utilização e prática dos sete princípios da liderança revolucionária, na próxima seção você aprenderá um processo de três passos para pegar o sonho, a escolha, a crença e o quadro de ação e transformá-los em aspectos relevantes para sua vida profissional cotidiana.

FALHAR EM PLANEJAR É PLANEJAR FALHAR

Será que falhar em planejar é a sentença de morte de sua liderança revolucionária? Sim, mas não da forma como você supõe. O planejamento que estou defendendo é o preparo para submeter-se à transformação individual exigida para liderar a transformação organizacional que você enfim deseja.

No Princípio do Propósito, afirmei que definir seu propósito não é a mesma coisa de olhar para a vida através de óculos cor-de-rosa. As questões concernentes ao propósito, ao significado e à relevância estão longe de serem simples, mas são questões estratégicas de vida que meus clientes corajosamente fazem a si mesmos.

E, para muitos de vocês, a exigência das listas de afazeres diários com as quais são obrigados a lidar acarreta em uma forma transacional de comprometimento e os leva a jamais planejar uma vida mais recompensadora e enriquecedora. Como não está em seus planos, a transformação, portanto, não acontecerá.

As pessoas que no trabalho ou em suas vidas pessoais alcançaram algo extraordinário e vivem com base na recompensa e na inspiração possuem um plano claro e imperioso para conquistar o que para elas é, de fato, importante. Nesta seção, quero pegar todas as teorias propostas e transformá-las em passos realmente aplicáveis. Entretanto, aí está o obstáculo: eu não acredito na existência de princípios de tamanho único no que concerne ao planejamento de sua liderança.

Sim, os sete princípios existem há milênios e transformaram culturas tanto positiva quanto negativamente. Estou convencido, porém, de que uma vez que você realize um processo de liderança em que acredita e possua um propósito que lhe pareça atraente e imperioso, você é inteligente e talentoso o bastante para criar um plano decisivo para sua liderança.

Portanto, neste capítulo, não desejo assumir a posição do sábio no cume de uma montanha que entrega tábuas com dez estratégias para liderar a transformação organizacional que você tanto deseja. Em vez disso, estou respeitando sua inteligência e seu compromisso e agindo como um guia. Como um companheiro de viagem e um guia para executivos e empresários nesta longa estrada do florescimento, vou compartilhar com vocês o que meus clientes mais bem-sucedidos (e, possivelmente, o próprio Howard Schultz) fizeram para planejar transformações tanto pessoais quanto profissionais. Em contrapartida, você terá uma indicação dos próximos passos que poderá personalizar de formas que funcionem para você.

O Princípio da Preparação delineia especificamente o que líderes de sucesso fazem conjuntamente aos outros seis princípios trabalhados até este momento. As três características seguintes dos líderes revolucionários são continuamente planejadas no trabalho diário de liderança de suas organizações.

Os líderes revolucionários despertam

A primeira coisa que os líderes revolucionários planejam fazer é despertar. Não se trata de despertar no sentido de abrir os olhos pela manhã e sair da cama, o que, evidentemente, eles fazem, mas, sim, de despertar para suas expectativas, seus sonhos e suas aspirações. Eles despertam para o impacto que causam nos outros, para o que fazem bem, para o motivo de não fazerem algo tão bem e para o que eles farão para melhorar. Despertar, aqui, refere-se ao processo de o líder olhar continuamente para suas atividades, suas ações e seu *mindset* pelos olhos das pessoas que mais importam para ele.

Os líderes revolucionários despertam para a reação que os outros têm aos e-mails que eles enviam, às mensagens de voz que passam e às reuniões que conduzem. Eles também despertam e veem claramente quais são seus gatilhos e seus vícios. Por exemplo, despertam para o fato de que, quando um executivo sênior de sua empresa participa de uma de suas reuniões, eles se tornam incrivelmente contundentes e descrevem seus trabalhos de formas grandiosas e altamente produtivas. Os líderes transformacionais despertam para o impacto que causam nos outros como catalisadores tanto de uma performance mais alta quanto de uma performance mais baixa.

Os líderes revolucionários crescem

Quando os líderes revolucionários crescem, eles assumem 100 por cento da responsabilidade por suas ações e consequências. Eles não hesitam de forma alguma diante do fato de que têm a responsabilidade de impactar positivamente aqueles que lideram. Em contrapartida, assumem 100 por cento da responsabilidade por suas ações e decisões, algo que também fazem deliberadamente. Eles cresceram a partir da conclusão de que as pessoas os estão observando e recebendo dicas do que é importante para eles e de como elas devem, portanto, comportar-se.

Os líderes revolucionários também crescem ao assumir que muitos funcionários não gostam de ser responsabilizados e que uma de suas prioridades enquanto líderes é ser um modelo de responsabilidade e de sinceridade. Isso tudo não é teórico para os líderes revolucionários, mas planejado em seu trabalho diário e semanal.

Os líderes revolucionários aparecem

Por aparecer não estamos querendo dizer estar presente apenas fisicamente, mas também mental e emocionalmente. Ao aparecerem, os líderes revolucionários despertam para as prioridades e para as promessas necessárias para o alcance de seu propósito, assim como para a execução de seus projetos; eles planejam ações de comportamento específicas que enviam uma mensagem de liderança de maneiras poderosas e resolutas.

Os líderes transformacionais reconhecem que a única ferramenta que possuem são eles próprios. Este é um pensamento libertador e, ao mesmo tempo, assustador. Eles são o veículo por intermédio do qual uma de duas coisas se sobressai: a performance extraordinária ou a performance ordinária. Por meio de suas ações, as pessoas saberão o que você defende, o que você valoriza, o que você espera e o que você recompensará. O processo de aparecer jamais termina para os líderes revolucionários, e, a bem da verdade, eles não querem que termine. Os líderes revolucionários reconhecem que realizar um trabalho transformador não é um exercício baseado em números ou tampouco um empreendimento em linha reta de um ponto A até um ponto B. Existem circuitos e rotas que ocasionalmente levam os líderes a ruas sem saída, e, ao passo que a maioria das pessoas pode eventualmente pensar que isso tudo é uma grande perda de tempo, o líder revolucionário encara esses desvios como uma excelente oportunidade para aparecer como um eterno aprendiz. Um aprendiz que aspira inovar e crescer com base em seus sucessos e em suas falhas. Para que você seja capaz de planejar-se para o sucesso e para a satisfação, você precisa continuamente despertar, crescer e aparecer. Se não assumir de forma completa essas características e traços, então a liderança será uma longa jornada de resultados acidentais. O Princípio da Preparação e esta seção concernente ao planejamento não tratam de como gerenciar sua agenda especificamente, mas, em vez disso, procuram convencê-lo a viver seu propósito, suas prioridades e suas promessas a cada dia, como uma escolha que você deve tomar de forma resoluta – do contrário, nada irá acontecer. Com intenção e atenção à sua liderança e também à sua vida pessoal, seu plano de vida está inteiramente em suas mãos.

Na próxima seção, vamos conectar o despertar, o crescimento e o aparecimento ao que você pode aprender com um monge do século XVI que se chamava Inácio de Loyola.

O QUE VOCÊ PODE APRENDER COM UM MONGE DO SÉCULO XVI?

Discernimento – esta é a lição do Santo Inácio de Loyola. O discernimento com relação a si mesmo em primeiro lugar, mas, igualmente importante, o discernimento com relação aos outros e à forma como os pensamentos, palavras e ações alheios disparam uma resposta em você. Deixemos claro um ponto antes de discutirmos os méritos de Santo Inácio: a liderança é uma atividade solitária, no sentido de que você é a única ferramenta que possui. Sim, eu já disse isso, mas é válido repetir porque não há lugar onde se esconder quando se trata de ser visto, conhecido e um catalisador para a transformação.

Toda grande tradição de fé louva os benefícios de conhecer a si mesmo na busca pelo divino. Buda disse: "É melhor conquistar a si mesmo do que vencer mil batalhas. Então, a vitória será sua. Não poderá ser tirada de você, nem por anjos nem por demônios, nem pelos céus nem pelo inferno". O profeta Maomé disse: "Aquele que conhece a si mesmo conhece o Senhor". Na Bíblia, o capítulo 3, versículo 40 do Livro das Lamentações, diz: "Examinemos e submetamos à prova os nossos caminhos, e depois voltemos ao Senhor".

Embora eu tenha estipulado que você precisa passar por uma transformação pessoal primeiro para então criar uma transformação organizacional, você também receberá a tarefa de liderar os outros por intermédio de suas transformações. Para alcançar resultados maiores e mais audaciosos, você terá de se autoconhecer profundamente e, ao fazer isso, assumir a vitória de que Buda estava falando enquanto submete seus caminhos à prova, como o Livro das Lamentações indica. Despertar para seu verdadeiro eu, o seu eu que é capaz de trabalhos extraordinários, pode tocar em medos e preocupações enraizados na dúvida de sua capacidade de, realmente, ser revolucionário. Se você é como os líderes com os quais trabalhei, despertará para o que está funcionando em sua liderança e para o que é desafiador e até mesmo, em certo sentido, desanimador. É por esse motivo que quero apresentar-lhe um monge católico do século XVI que se chamava Santo Inácio de Loyola.

Quem foi Inácio de Loyola? Loyola era um garoto rico e impetuoso que nasceu no bojo da nobreza espanhola do século XVI. Ele entrou para o exército quando tinha 17 anos e era conhecido por usar calças apertadas para destacar suas pernas por baixo de uma capa e por carregar uma espada. Era mulherengo, dono de um ego gigante e de um péssimo gênio, e graças a seu status privilegiado pôde escapar da condenação pelos vários crimes violentos que cometera. Na Batalha de Pamplona, ocorrida no ano de 1521, uma bala de canhão o atingiu com gravidade, ferindo sua perna direita e causando múltiplas fraturas na esquerda. Ele retornou para o castelo de seu pai em Loyola, onde passou por inúmeras cirurgias para reparar as pernas. Muitas dessas operações ocorreram em virtude da vaidade do jovem, que chegara ao ponto de fazer com que ele tivesse as pernas quebradas novamente porque pensava que, da forma como tinham se curado, não ficariam bem nas calças que gostava de usar. E isso tudo antes da invenção da anestesia, imagine só. A vaidade e o narcisismo de Inácio eram imensos. Mas é aí que a história fica interessante. Inácio despertou para a direção que sua vida estava tomando. Ele viu os vícios, hábitos e modos de vida que o estavam distanciando do que era bom, inspirador e perene, e o levavam em direção ao egoísmo, narcisismo e individualismo. Ele passou por uma conversão espiritual que levou muitos anos mais tarde à criação da ordem religiosa dos jesuítas. Hoje em dia, há mais de 16 mil padres, monges, frades e noviços jesuítas em todo o mundo, e eles representam a maior ordem religiosa masculina da Igreja Católica. Os jesuítas são padres, professores e capelães. Eles são também médicos, advogados e astrônomos e cuidam do indivíduo como um todo: corpo, mente e alma. Na educação de seus ministérios, procuram cultivar "homens e mulheres a serviço dos outros". E tudo isso nasceu com um rapaz egoísta, nervosinho e mimado? Sim. E o que Inácio deixou como legado, e é parte fundamental da chamada Espiritualidade Inaciana, é o Exame da Consciência. Uma avaliação que leva 15 minutos, uma ou duas vezes por dia, das atividades diárias e da forma como respondemos a elas.

Embora eu pessoalmente tenha praticado a espiritualidade inaciana durante três anos, não estou de forma alguma sugerindo que você faça o mesmo. O que estou sugerindo é que a prática que Inácio criou é transformadora em sua capacidade de aumentar nossa consciência de nós mesmos e do mundo em que vivemos. Quando você é um líder sobrecarregado e tem muitas tarefas a realizar, precisa de um método para tirar as camadas de sua forma de ver tanto o mundo quanto as pessoas com as quais interage e infundir um processo de discernimento transformador e revolucionário em seu dia. A variação do exame de Inácio que vou propor é sem dúvida a maneira mais rápida para os líderes facilitarem sua própria transformação individual. Se usar esse processo uma vez por dia, você crescerá mais rápido e será capaz de liderar os outros com mais clareza e foco.

Eis um exemplo do que Inácio ensinou em seu Exame da Consciência. Há cinco partes no processo de Inácio, cinco perguntas que, quando respondidas de forma resoluta e cuidadosa, tomam 15 minutos. São elas:

1. **Criação: onde vi o amor de Deus expresso ou recebido hoje?** Inácio acreditava que o mundo todo era criado do amor, no amor e para o amor. Ele instruiu aos jesuítas que encarassem a Criação como um ato de amor e os instou a procurar intencional e resolutamente exemplos de coisas criadas no amor e em função do amor.
2. **Presença: onde vivenciei a presença de Deus hoje?** Inácio também acreditava que Deus está sempre à vista e que nós não precisamos ir em busca do Divino, mas simplesmente devemos estar mais atentos ao lugar onde o Divino está escondido. Essa pergunta eleva nossa consciência do Divino e pede exemplos de onde a presença de Deus foi sentida ou vista.
3. **Memória: quais eventos de hoje direcionados a mim ou feitos por mim violaram o amor?** Essa é uma grande questão para Inácio. O que ele pedia para os padres fazerem era revisar cada momento de seus dias, desde o despertar até o adormecer. Ele queria que os jesuítas se tornassem cientes de seus estados afetivos. Trazendo para nossa realidade, ele queria que prestássemos atenção no garoto usando um jeans 5 centímetros abaixo da cintura e fones de ouvido que atravessa lentamente faixa de pedestres, alheio ao fato de nós ter-

mos deixado que o semáforo fechasse por causa dele. Inácio gostaria de saber qual nossa reação a esse garoto, e diria para todos nós hoje que compreender as emoções que temos nas situações é essencial para compreendermos a nós mesmos à luz de nossas forças e, também, de nossas falhas.

4. **Misericórdia: em que preciso hoje da misericórdia de Deus?** Nunca vivemos completamente nosso potencial. Não alcançamos nossas metas e decepcionamos pessoas. Essa pergunta lembra as pessoas de que cometemos falhas e de que podemos tanto perdoar quanto sermos perdoados.
5. **Eternidade: o que me anima a respeito de amanhã e por quê?** Esta última pergunta tem suas raízes na crença de criarmos um novo paraíso na terra em coautoria com o Divino. O que eu vou criar amanhã e o que isso pode ter de tão entusiasmante para mim?

O primeiro parágrafo desta seção afirmou que o que podemos aprender com Santo Inácio é o discernimento. O discernimento a respeito de você mesmo em primeiro lugar, mas, igualmente importante, o discernimento a respeito dos outros e da forma como os pensamentos, palavras e ações deles disparam uma resposta em você. Criei uma variação das perguntas de Inácio, mas com a mesma intenção de criar uma perspectiva transformadora e revolucionária de si mesmo e dos outros de modo que você possa, como disse Gandhi, ser a mudança que quer ver no mundo.

O EXAME DE TRANSFORMAÇÃO DO HUGH

1. Onde criei o maior valor e/ou bem-estar hoje?

Todo dia você tem a oportunidade e a responsabilidade de plantar nos corações e mentes de seus funcionários e clientes algo de valor e/ou bem-estar. Identifique uma, duas ou três maneiras por meio das quais você criou valor ou bem-estar hoje. Com o passar do tempo, você verá esta parte de sua vida profissional de forma mais clara, o que irá lhe incutir mais confiança e coragem e fomentará mais credibilidade e conexão entre você e aqueles com os quais interage.

2. Onde eu estava mais presente e mais ligado no momento hoje?

Muitas vezes os líderes estão presos ao passado, vivendo um acontecimento de semanas, meses e até anos atrás. Isto faz com que eles vivam com medo de repetir esse acontecimento. Ou, ainda, estão vivendo no futuro na medida em que estão desconectados dos conhecimentos importantes e dos impactos do presente. Esta questão serve para empurrá-lo na direção do momento atual, de modo a ver em que momentos e em que lugares você está mais conectado e presente. Esta é uma pista poderosa sobre qual parte de seu trabalho é mais instigante para você.

3. Quais foram os dois ou três acontecimentos ou experiências fundamentais que tive hoje e qual foi minha reação a eles?

Esta parte do Exame de Transformação diz respeito a ser realista consigo próprio. Ela pede que você isole dois ou três acontecimentos de seu dia e especificamente identifique as reações que você teve em relação a eles. Esta não é uma questão reveladora centrada no próprio umbigo, mas, em vez disso, uma questão altamente importante de sensibilização. Lembre-se da advertência de Sócrates sobre conhecer a si mesmo. Esta é a intenção desta pergunta.

4. Em que ponto me arrependo de não ter vivido o máximo de meu potencial hoje?

Sejamos claros: há partes de nossos dias que não são boas. Fazemos ou dizemos coisas que têm um impacto negativo em alguém ou compromete nossa reputação. Quando temos a capacidade de enxergar com clareza esses acontecimentos e dominá-los, estamos vivendo de forma responsável. Com o passar do tempo, você pode identificar padrões em suas falhas e erros e, com a ajuda dos outros princípios que discutimos neste livro até agora, um *coach* ou um mentor, você pode desenvolver estratégias para reduzir ou eliminar essas falhas. Entretanto, a mudança nesta área exige enxergar e dominar a falha. Mas é preciso uma advertência: esta questão pode trazer à tona o pior crítico de si mesmo que há em você e transformar-se em uma oportunidade para o autoflagelo. Evite isso prestando atenção aos aspectos abordados no Princípio do Elogio.

5. O que estou entusiasmado para criar amanhã e por quê?

Esta é a parte do exame que a maioria das pessoas mais gosta. São líderes orientados para a ação que querem seguir em frente e fazer algum tipo de planejamento. Sim, é uma ferramenta poderosa saber o que você irá criar de um dia para o outro, mas apenas quando seus planos para o dia de amanhã são profundamente baseados no hoje. Isole duas ou três coisas que quer criar e o motivo de elas serem tão importantes para você.

Quais são suas reações a estas perguntas? Você é capaz de enxergá-las como úteis, valiosas, provocativas, perda de tempo, egocêntricas ou como um impedimento à realização do trabalho que mais importa para você?

Seja qual for a sua reação, tenha o seguinte em mente: estas perguntas não são uma perda de tempo. Elas são aceleradoras de performance. O que as pessoas que você lidera querem acima de tudo é confiar em você, respeitá-lo e ter uma conexão pessoal significativa com você enquanto pessoa, de modo que possam andar ao seu lado e criar algo notável, transformador e revolucionário. Elas querem isso de você, mas você não pode lhes oferecer isso a menos que confie, respeite e possua você próprio uma conexão pessoal consigo. O Exame de Transformação irá ajudá-lo a construir a conexão e, ao fazer isso, transformar sua liderança e criar um *mindset* de inovação e crescimento.

Ao longo deste capítulo, apresentei a você inúmeras opções de como se preparar para a aventura de liderança que existe diante de si. Cada uma das estratégias de preparação é auxiliada pelo Exame de Transformação. Na seção final deste livro, vou sentar-me à sua frente com uma xícara de café e sugerir formas de integrar todos os princípios que discutimos e de colocá-lo no caminho rumo a uma transformação pessoal e organizacional.

CONCLUSÃO

Então, o que você deve fazer agora? Trata-se de uma ótima pergunta e não dou pouca importância e ela. Se você e eu estivéssemos sentados um diante do outro tomando uma xícara de café e eu tivesse a oportunidade de compartilhar as palavras mais valiosas de sabedoria de que sou capaz, eis o que eu diria.

Lembre-se de que, se você não está florescendo pessoalmente, a probabilidade de permitir que seus funcionários e clientes floresçam é inacreditavelmente baixa. Exatamente como nos instruem os procedimentos de segurança nos aviões, você precisa primeiro colocar a máscara de oxigênio em si para só então ajudar os outros com as deles. Eu lhe diria para colocar primeiro sua máscara de oxigênio e se comprometer com a escolha de florescer pessoalmente. Pegue o Princípio do Propósito e eleve os conceitos à enésima potência. Encontre apenas uma ideia, expectativa, ambição ou aspiração, agarre-se a ela com unhas e dentes e não a deixe escapar em hipótese alguma.

Eu lhe diria para tomar uma decisão. Tomar uma decisão a respeito de suas prioridades e das promessas que fará para as pessoas que mais importam para você. Eu lhe diria que as promessas e prioridades o definem enquanto pessoa e são a espinha dorsal de seu

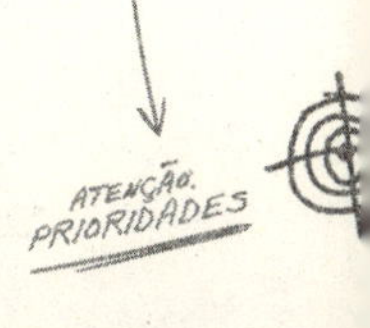

caráter. Eu o lembraria de que elas estão diretamente ligadas àquilo que você articulou no Princípio do Propósito, e que você é capaz de escolher a cada dia qual será a qualidade de vida que terá. Você não é uma vítima, tampouco está no controle de todo o universo, mas tem uma vida extraordinária, portanto, escolha com cuidado cada um dos seus dias.

Mantenha o foco na criação de valor. Esqueça sua metodologia, esqueça o que você faz tecnicamente e viva, respire e faça tudo o que estiver ao seu alcance para compreender a experiência de seu cliente. Eu o lembraria de que em cada reunião, e-mail ou demais interações você tem a oportunidade de persuadir alguém a apoiá-lo e de abraçar o florescimento do cliente e do funcionário. Eu olharia em seus olhos e o lembraria de que você faz a diferença na vida das pessoas e de que deve aceitar essa responsabilidade inteiramente e com entusiasmo porque, juntamente com seu propósito, suas promessas, prioridades, aprendizado e crescimento, você pode criar uma comunidade de coconspiradores com a mesma mentalidade – e essa comunidade fará um trabalho espetacular.

Eu lhe pediria para ser um catalisador do sentimento de comunidade e para intencionalmente ajudar os outros a cultivar um *mindset* favorável ao que funciona, e não ao que não funciona. Aplique os conhecimentos que obteve lendo o Princípio do Elogio em todas as horas de seu dia e ajude resolutamente as pessoas a sentirem-se bem consigo próprias; assim, você infundirá esperança e otimismo na vida profissional de todas elas, permitindo-lhes florescer. Eu lhe pediria para tornar-se um exemplo de esperança, otimismo e mérito.

Eu também lhe diria para jamais desistir. Diria que há um trabalho que apenas você pode fazer e que seu mundo profissional precisa da sua sinceridade com relação àquilo que, em sua perspectiva, é nobre e edificante. Nunca perca isso de vista. Em cada canto de sua organização ou empresa, as pessoas estão prestando atenção nas coisas que você faz e nas coisas que diz diante de adversidades inexoráveis – adversidades que podem deixá-lo completamente esgotado e desencantado com a vida. De forma contínua e resoluta, dê um passo depois do outro. Seu talento é importante, mas sua perseverança é o verdadeiro divisor de águas.

Eu também o aconselharia a manter o foco no Princípio da Preparação. O discernimento e a sabedoria que você possui a respeito de sua liderança, sua relação com as pessoas que mais lhe importam e o impacto que exerce sobre todas as áreas de sua vida são acelerados por intermédio do Exame de Preparação. O Princípio da Preparação é o núcleo da liderança revolucionária e todos os outros princípios ampliam-se a partir dele. Você precisa se preparar para partir em uma jornada transformadora e, no final dessa viagem, estar preparado para revisar o caminho e reinventá-lo em qualquer forma, modelo, maneira ou técnica que funcione para você. Como eu disse, você precisa escolher como quer viver sua vida tanto no nível pessoal quanto no nível profissional.

E a última coisa que eu lhe diria é a seguinte: o amor é a emoção mais revolucionária que tanto você quanto eu possuímos. O amor nos impulsiona e nos transforma. Portanto, apaixone-se por uma ideia, uma expectativa, um sonho ou uma aspiração; apaixone-se por seus funcionários e por seus clientes; apaixone-se pela realização de um trabalho valioso; apaixone-se pelo ato de suscitar esperança e otimismo esteja você onde estiver; apaixone-se pelo ato de elogiar as pessoas quando elas fizerem um trabalho excelente, quando derem o seu melhor; e apaixone-se pela dor e desconforto de seguir em frente em tempos inundados por adversidades avassaladoras. E eu também diria para você se apaixonar pela noção de que cada um de seus dias pode ser repleto de desenvolvimento pessoal e profissional. O mundo precisa de mais pessoas apaixonadas pelo florescimento humano. Você está dentro?

TIPOGRAFIA: GARAMOND PRO E TANGERINE

PAPEL DE MIOLO: HOLMEN BOOK 55 g/m²

PAPEL DE CAPA: CARTÃO 250 g/m²

IMPRESSÃO: IMPRENSA DA FÉ